書香傳家

毛佩琦書

壬寅仲春京師近道堂刊

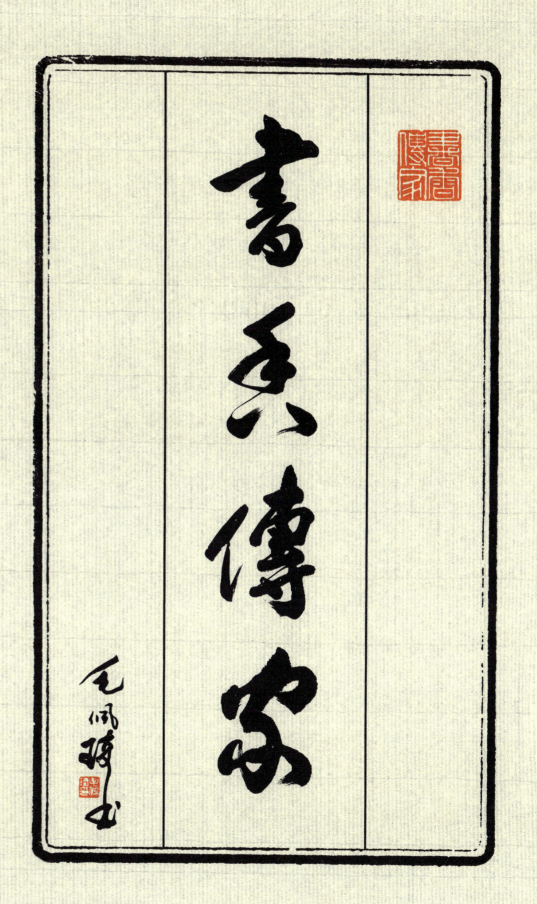

納蘭詞

第一冊

〔清〕納蘭性德 著
崇賢書院 釋譯

北京聯合出版公司

書香傳家系列圖書學術顧問

樓宇烈（資深國學名家、北京大學哲學系教授）
閻崇年（著名歷史學家、央視《百家講壇》主講人）
毛佩琦（中國人民大學歷史系教授）
王守常（北京大學哲學系教授）
任德山（人文學者、央視有綫173書畫頻道主講人）
呂宇斐（中國美術學院視覺中國協同創新中心客座教授、研究生導師）
孟憲實（中國人民大學歷史系副教授）
楊朝明（原中國孔子研究院院長、原國際儒學聯合會副理事長）
董　平（浙江大學哲學系教授）
杜保瑞（上海交通大學特聘教授、臺灣大學哲學系教授）
張　辛（人文書法家、北京大學考古文博學院教授）
辛德勇（北京大學中國古代史研究中心教授）
余世存（文化學者、暢銷書作家）

編委會

學術顧問
編纂委員會

書香傳家

書香傳家系列圖書出版編纂委員會

主　編
李　克（崇賢館館長）

叢書題字
毛佩琦（中國人民大學歷史系教授）

裝幀設計
孫世良　周　亮　楊延京

出版編輯委員會
路　茸　王德重　李宏濤　黃玉蘭　譚　爽　張少華

排版製作
趙樂紅　趙軍安　朱　澤

前言

納蘭性德（一六五五—一六八五），原名成德，字容若，號楞伽山人，滿洲正黄旗人，清代著名詞人，武英殿大學士納蘭明珠長子。納蘭性德少年聰穎，博經通史，在文學、書法、繪畫、音樂方面均有一定造詣，尤以塡詞名世。納蘭性德出身豪門，平步宦海，但他「雖履盛處豐，抑然不自多。於世無所芬華，若戚戚於富貴而以貧賤爲可安者。身在高門廣廈，常有山澤魚鳥之思」。康熙二十四年（一六八五），納蘭性德因寒疾去世，年僅三十一歲。一代才杰英年早逝，令人嘆惋。

納蘭性德雖然生命短暫，但著作頗豐，其詞作不但在清代文壇享有很高的聲譽，在整個中國文學史上也佔有一席之地，況周頤在《蕙風詞話》中譽其爲「國初第一詞手」。今存《通志堂集》二十卷，包括賦一卷，詩四卷，詞四卷，經解序跋三卷，序、記、書一卷，雜文一卷；《淥水亭雜識》四卷。另外，還編刻了《大易集義粹言》《詞林正略》《今詞初集》《通志堂經解》等書。

納蘭性德早年曾刻《側帽詞》，康熙十七年（一六七八）又委託顧貞觀在吳中刊成《飲水詞》，作品名借南宋岳珂《桯史·記龍眠海會圖》「如魚飲水，冷暖自知」之意，此二本刻於性德生前，今皆不見傳本，《飲水詞》收詞僅百餘首，《側帽詞》收詞亦不多，現統稱納蘭詞。後人將兩部詞集增遺補缺，共三百四十八首，編輯一處，名爲《納蘭詞》。《納蘭詞》在當時社會就享有盛譽，衆多文人、學士皆給予高度評價，成爲那個時代詞壇的傑出代表。

納蘭詞全以一個「眞」字取勝。寫眞意，抒眞情，不矯揉造作，且語言優美流暢，不受格律拘束，詞中像「月華如水」「波紋似練」「有泪如潮」等自然親切的詞句隨處可見。王國維在《人間詞話》中這樣評價納蘭性德：「以自然之眼觀物，以自然之筆寫情。」唐圭璋認爲納蘭性德「待人眞，作詞眞，寫景眞，抒情眞，雖力量未充，然以其眞，故感人甚深。一種凄惋處，令人不忍卒讀者，亦以其詞眞也」。納蘭詞之「眞」，源其用情之「深」，如王國維所說：「寫情則沁人心脾，寫景則在人耳目，述事則如其口出是也。」

納蘭性德善於營造淒婉意境，主要表現在其善用細節小景表達孤寂之情，例如《夢江南》：「昏鴉盡，小立恨因誰？急雪乍翻春閣絮，輕風吹到膽瓶梅，心字已成灰。」詞中用黃昏、烏鴉、柳絮、瓶梅等物表達詞人相思之苦，將詞人的孤寂痛苦寫得深沉淒婉。納蘭性德的詞涉及愛情友誼、邊塞江南、詠物詠史及雜感等方面，悼亡詞更是情眞意切，痛徹肺腑，令人不忍卒讀。當時形成「家家爭唱《飲水詞》，納蘭心事幾人知」的盛況，所以王國維用「北宋以來，一人而已」之語高度評價納蘭性德，朱祖謀也云「八百年來無此作者」。

嘉慶以後，《納蘭詞》涌現出衆多版本。先後有楊芳燦抄本，袁通選（小倉山房刻本）《飲水詞鈔》二卷本，道光十二年汪元治輯（結鐵網齋刻）《納蘭詞》五卷本，道光二十五年張祥河刻《飲水詩詞集》本，道光二十六年金梁外史（周之琦）選《飲水詞》一卷本，光緒六年許邁孫娛園刻《納蘭詞》五卷補遺一卷本等。其中，汪元治（結鐵網齋刻）《納蘭詞》五卷，補遺五首，共三百二十六首。此書有雙行小字校文，校刻俱佳，是繼《通志堂集》之後最重要的納蘭詞整理校訂本。

書香傳家系列之《納蘭詞》，繼承古代傳統工藝，對接歷代版刻精華，采用宣紙印裝形式，原文字體選用清乾隆武英殿版刻書字體，以其獨特藝術性和收藏性，鶴立於信息泛濫時代。本書由畫家、版刻學家孫世良先生親自指導設計，其審美表現氣象非凡、自成一格。書籍整體裝幀選用明代綫裝書形式，同時融入現代設計元素，古樸典雅中有當代審美氣息。每個時代必有自己的經典與審美的呈現，近道堂「書香傳家系列」，集當代學者和藝術家的思想和創意之精華，致力於打造當代經典的珍稀版本，使其傳之後世。

近道堂

辛丑季冬記於京師

目錄

第一冊

梦江南（江南憶） 一
又（春去也） 一
又（江南好，建業舊長安） 一
又（江南好，城闕尚嵯峨） 二
又（江南好，懷古意誰傳） 二
又（江南好，虎阜晚秋天） 二
又（江南好，真個到梁溪） 三
又（江南好，水是二泉清） 三
又（江南好，佳麗數維揚） 三
又（江南好，鐵甕古南徐） 三
又（江南好，一片妙高雲） 三
又（江南好，何處異京華） 四

又（新來好） 四
憶江南 宿雙林禪院有感 四
又（挑燈坐） 五
又（昏鴉盡） 五
赤棗子（驚曉漏） 六
憶王孫（西風一夜翦芭蕉） 六
又（暗憐雙緤鬱金香） 七
又（刺桐花下是兒家） 七
玉連環影（何處？幾葉蕭蕭雨） 七
又（纔睡。愁壓衾花碎） 八
遐方怨（欹角枕） 八
訴衷情（冷落繡衾誰與伴） 八
如夢令（正是轆轤金井） 八
又（黃葉青苔歸路） 九

又（纖月黃昏庭院）　九
又（萬帳穹廬人醉）　十
天仙子（夢裏蘼蕪青一翦）　十一
又（好在軟綃紅淚積）　十二
又　淥水亭秋夜　十二
又（月落城烏啼未了）　十二
江城子（濕雲全壓數峯低）　十三
長相思（山一程）　十三
相見歡（微雲一抹遙峯）　十五
又（落花如夢淒迷）　十五
昭君怨（深禁好春誰惜）　十五
又（暮雨絲絲吹濕）　十五
酒泉子（謝卻荼蘼）　十六
生查子（東風不解愁）　十六
又（鞭影落春堤）　十六
又（散帙坐凝塵）　十七
又（短焰剔殘花）　十七
又（惆悵綵雲飛）　十八
點絳唇　寄南海梁藥亭　十八
又　詠風蘭　十九
又　對月　二十
又　黃花城早望　二十一
又（小院新涼）　二十一
浣溪沙（錦樣年華水樣流）　二十二
又（肯把離情容易看）　二十二
又（已慣天涯莫浪愁）　二十二
又（十里湖光載酒遊）　二十二
又（脂粉塘空徧綠苔）　二十三

又 大覺寺 二十三
又（拋卻無端恨轉長） 二十三
又 小兀喇 二十四
又 姜女祠 二十四
又（淚浥紅箋第幾行） 二十四
又（伏雨朝寒愁不勝） 二十五
又（誰念西風獨自涼） 二十五
又（蓮漏三聲燭半條） 二十六
又（消息誰傳到拒霜） 二十六
又（雨歇梧桐淚乍收） 二十六
又 西郊馮氏園看海棠，因憶《香嚴詞》有感 二十六
又（酒醒香銷愁不勝） 二十七
又（欲問江梅瘦幾分） 二十七
又（一半殘陽下小樓） 二十八
又（睡起惺忪強自支） 二十八
又（五月江南麥已稀） 二十八
又（殘雪凝輝冷畫屏） 二十九
又 詠五更，和湘真韻 三十
又（五字詩中目乍成） 三十
又（記綰長條欲別離） 三十
又 古北口 三十
又（身向雲山那畔行） 三十一
又（萬里陰山萬里沙） 三十二
又 庚申除夜 三十二
又 紅橋懷古，和王阮亭韻 三十二
又（鳳髻拋殘秋草生） 三十三
又（腸斷斑騅去未還） 三十三
又（旋拂輕容寫洛神） 三十四

又（十二紅簾窣地深）　三十四
又（容易濃香近畫屏）　三十四
又（十八年來墮世間）　三十四
又　寄嚴蓀友　三十五
又（欲寄愁心朔雁邊）　三十五
又（敗葉填溪水已冰）　三十六
又　郊遊聯句　三十六
霜天曉角（重來對酒）　三十七
菩薩蠻　回文　三十七
又（隔花纔歇廉纖雨）　三十八
又（新寒中酒敲窗雨）　三十八
又（惜春春去驚新燠）　三十八
又（夢回酒醒三通鼓）　三十八
又（催花未歇花奴鼓）　三十九
又（曉寒瘦著西南月）　三十九
菩薩蛮（窗前桃蕊嬌如倦）　三十九
又（朔風吹散三更雪）　四十
又（問君何事輕離別）　四十
又　為陳其年題照　四十
又　宿灤河　四十二
又（荒雞再咽天難曉）　四十二
又　白日驚飈冬已半　四十二
又（榛荊滿眼山城路）　四十二
又（黃雲紫塞三千里）　四十三
又　寄顧梁汾苕中　四十三
又（蕭蕭幾葉風兼雨）　四十三
又（為春憔悴留春住）　四十四
又（晶簾一片傷心白）　四十四

又（烏絲畫作回文紙） 四十五
又（蘭風伏雨催寒食） 四十五
又（春雲吹散湘簾雨） 四十五
又 回文 四十五
又 回文 四十六
又（飄蓬祇逐驚飈轉） 四十六
又 過張見陽山居，賦贈 四十六
減字木蘭花 新月 四十六
又（燭花搖影） 四十七
又（相逢不語） 四十七
又（從教鐵石） 四十七
又（斷魂無據） 四十七
又（花叢冷眼） 四十八
卜算子 新柳 四十八
又 塞夢 四十八
又 午日 四十八
采桑子（彤霞久絕飛瓊字） 四十九
又（誰翻樂府淒涼曲） 四十九
又（嚴霜擁絮頻驚起） 四十九
又（冷香縈遍紅橋夢） 五十
又 詠春雨 五十一
又 塞上詠雪花 五十一
又（桃花羞作無情死） 五十一
又（撥燈書盡紅箋也） 五十二
又（涼生露氣湘絃潤） 五十二
又（土花曾染湘娥黛） 五十三
又（謝家庭院殘更立） 五十三
又（而今纔道當時錯） 五十四

又（明月多情應笑我） 五十四
又（那能寂寞芳菲節） 五十四
又 九日 五十四
又（海天誰放冰輪滿） 五十五
又（白衣裳憑朱闌立） 五十五
采桑子 居庸關 五十五
謁金門（風絲裊） 五十五
好事近（簾外五更風） 五十六
又（馬首望青山） 五十六
又（何路向家園） 五十六
一絡索 長城 五十六
又（過盡遙山如畫） 五十七
洛陽春（密灑征鞍無數） 五十七
清平樂 發漢兒村題壁 五十七
又（麝煙深漾） 五十八
又（煙輕雨小） 五十八
又（青陵蝶夢） 五十八
又（將愁不去） 五十八
又（淒淒切切） 五十九
又 憶梁汾 五十九
又（塞鴻去矣） 六十
又（風鬟雨鬢） 六十
又（涼雲萬葉） 六十一
又 彈琴峽題壁 六十一
又 上元月蝕 六十一
又（角聲哀咽） 六十一
又（畫屏無睡） 六十二
憶秦娥 龍潭口 六十二

又（春深淺） 六十三
又（長飄泊） 六十三
醉桃源（斜風細雨正霏霏） 六十四
畫堂春（一生一代一雙人） 六十四
眼兒媚（獨倚春寒掩夕霏） 六十四
又（重見星娥碧海槎） 六十五
又 詠梅 六十五
朝中措（蜀絃秦柱不關情） 六十五
攤破浣溪沙（林下荒苔道韞家） 六十六
又（風絮飄殘已化萍） 六十六
又（欲話心情夢已闌） 六十六
又（小立紅橋柳半垂） 六十七
又（一霎燈前醉不醒） 六十七
又（昨夜濃香分外宜） 六十七
青衫濕 悼亡 六十七
青衫濕遍 悼亡 六十八
落花時（夕陽誰喚下樓梯） 六十九
錦堂春 秋海棠 六十九
海棠春（落紅片片渾如霧） 六十九
河瀆神（風緊雁行高） 七十
又（涼月轉雕闌） 七十
太常引 自題小照 七十
又（晚來風起撼花鈴） 七十一
四犯令（麥浪翻晴風颭柳） 七十一
添字采桑子（閑愁似與斜陽約） 七十一
荷葉盃（簾捲落花如雪） 七十二
又（知己一人誰是） 七十二
尋芳草 蕭寺紀夢 七十二

第二冊

菊花新 用韻送張見陽令江華 七十三
南歌子（翠袖凝寒薄） 七十三
又（暖護櫻桃蕊） 七十三
又 古戍 七十三
秋千索 淥水亭春望 七十四
又（遊絲斷續東風弱） 七十四
又（壚邊喚酒雙鬟亞） 七十五
又（錦帷初卷蟬雲繞） 七十五
浪淘沙 秋思 七十五
又 望海 七十六
又（雙燕又飛還） 七十六
又（紅影濕幽窗） 七十六
又（眉譜待全刪） 七十七

又（紫玉撥寒灰） 七十七
又（夜雨做成秋） 七十七
又（野店近荒城） 七十八
又（悶自剔殘燈） 七十八
又（清鏡上朝雲） 七十八
雨中花 送徐藝初歸崑山 七十八
又（樓上疏煙樓下路） 七十九
鷓鴣天 離恨 七十九
又（誰道陰山行路難） 八十
又（小構園林寂不譁） 八十一
又（獨背殘陽上小樓） 八十一
又（雁貼寒雲次第飛） 八十一
又（別緒如絲睡不成） 八十一
又（冷露無聲夜欲闌） 八十二

又 送梁汾南還，時方為題小影 八十二
又 詠史 八十三
又 十月初四夜風雨，其明日是亡婦生辰 八十四
河傳（春淺，紅怨） 八十四
木蘭花 擬古決絕詞柬友 八十五
虞美人 秋夕信步 八十五
又（綠陰簾外梧桐影） 八十五
又（春情只到梨花薄） 八十六
又（曲闌深處重相見） 八十六
又（峯高獨石當頭起） 八十六
又（黃昏又聽城頭角） 八十七
又（綵雲易向秋空散） 八十七
又（銀牀淅瀝青梧老） 八十七
又 為梁汾賦 八十八
又（殘燈風滅爐煙冷） 八十八
鵲橋仙（倦收緗帙） 八十九
又（夢來雙倚） 八十九
又 七夕 八十九
南鄉子（柳絮晚悠颺） 九十
又 秋莫村居 九十
又 搗衣 九十
又 柳溝曉發 九十一
又（煙暖雨初收） 九十一
又（何處淬吳鈎） 九十一
又 為亡婦題照 九十二
一斛珠 元夜月蝕 九十二
紅窗月（燕歸花謝） 九十二
踏莎行（春水鴨頭） 九十三

又（倚柳題箋）　九十三
鵲橋仙（月華如水）　九十四
臨江仙　寄嚴蓀友　九十四
又（昨夜個人曾有約）　九十五
又（點滴芭蕉心欲碎）　九十五
又　永平道中　九十五
又　謝餉櫻桃　九十六
又（絲雨如塵雲著水）　九十七
又（長記碧紗窗外語）　九十七
又　塞上得家報，云秋海棠開矣，賦此　九十七
又　盧龍大樹　九十八
又　寒柳　九十八
又（帶得些兒前夜雪）　九十八
又　孤雁　九十九
蝶戀花（辛苦最憐天上月）　九十九
又（眼底風光留不住）　一〇〇
又（又到綠楊曾折處）　一〇〇
又　散花樓送客　一〇〇
又（蕭瑟蘭成看老去）　一〇一
又　夏夜　一〇一
又　出塞　一〇一
又（盡日驚風吹木葉）　一〇二
又（準擬春來消寂寞）　一〇二
唐多令　雨夜　一〇二
又（金液鎮心驚）　一〇三
又　塞外重九　一〇三
踏莎美人　清明　一〇三
蘇幕遮（枕函香）　一〇四

又　詠浴　一〇四
淡黃柳　詠柳　一〇四
青玉案　人日　一〇五
又　宿烏龍江　一〇五
月上海棠　中元塞外　一〇五
又　瓶梅　一〇六
一叢花　詠並蒂蓮　一〇六
金人捧露盤　淨業寺觀蓮，有懷蓀友　一〇七
洞仙歌　詠黃葵　一〇七
翦湘雲　送友　一〇七
東風齊著力（電急流光）　一〇八
滿江紅　茅屋新成卻賦　一〇八
又（代北燕南）　一〇九
又（為問封姨）　一一〇

又　為曹子清題其先人所構楝亭，亭在金陵署中　一一〇
滿庭芳（堠雪翻鴉）　一一一
又　題元人《蘆洲聚雁圖》　一一二
水調歌頭　題西山秋爽圖　一一二
又　題岳陽樓圖　一一三
鳳凰臺上憶吹簫　除夕得梁汾閩中信，因賦　一一四
又　守歲　一一四
金菊對芙蓉　上元　一一五
琵琶仙　中秋　一一五
御帶花　重九夜　一一六
念奴嬌（人生能幾）　一一六
又（綠楊飛絮）　一一六
又　廢園有感　一一七
又　宿漢兒村　一一七

東風第一枝 桃花 一一八
秋水 聽雨 一一八
木蘭花慢 立秋夜雨，送梁汾南行 一一九
水龍吟 題文姬圖 一一九
又 再送蓀友南還 一二一
齊天樂 上元 一二一
又 洗妝臺懷古 一二二
又 塞外七夕 一二二
瑞鶴仙 丙辰生日自壽。起用《彈指詞》句，並呈見陽 一二三
雨霖鈴 種柳 一二三
疏影 芭蕉 一二四
瀟湘雨 送西溟歸慈溪 一二五
風流子 秋郊即事 一二五
沁園春（試望陰山） 一二六

又（瞬息浮生） 一二七
又 代悼亡 一二八
金縷曲 贈梁汾 一二八
又 再贈梁汾，用秋水軒舊韻 一三〇
又 再用秋水軒舊韻 一三一
又（生怕芳樽滿） 一三二
又 簡梁汾，詩方爲吳漢槎作歸計 一三二
又 慰西溟 一三三
又 西溟言別，賦此贈之 一三四
又 寄梁汾 一三五
又 亡婦忌日有感 一三五
又（未得長無謂） 一三六
摸魚兒 午日雨眺 一三六
又 送別德清蔡夫子 一三七

憶桃源慢（斜倚熏籠） 一三九
湘靈鼓瑟（新睡覺） 一三九
大酺 寄梁汾 一四〇
調笑令（明月，明月） 一四〇
滿宮花（盼天涯） 一四一
少年遊（算來好景只如斯） 一四一
茶瓶兒（楊花糁徑櫻桃落） 一四一
望江南 詠絃月 一四一
明月棹孤舟 海淀 一四二
望海潮 寶珠洞 一四二
漁父（收卻綸竿落照紅） 一四三

梦江南

江南憶，鸞輅此經過。一掬胭脂沉碧甃，四圍亭壁幛紅羅。消息暑風多。

詞解　這首詞寫過南朝陳宮的感受：回憶江南之行，皇帝曾遊幸過那裏。當年陳後主與其張、孔二妃灑淚投井，雖已成爲歷史的陳跡，然誠可哀憫，亭壁四圍掛起了紅羅幛，以遮蔽江南多變的暑風。

又

春去也，人在畫樓東。芳草綠黏天一角，落花紅沁水三弓。好景共誰同？

詞解　這首詞爲傷春之作：春天過去了，傷春的人衹能在畫樓上憑欄遠望。碧綠的芳草連到了天邊，飄落的紅花覆蓋在茫茫的水面上。這美麗的春色，能和誰共同遊賞呢？

又

江南好，建業舊長安。紫蓋忽臨雙鷁渡，翠華爭擁六龍看。雄麗

江南憶

卻高寒。

詞解　這首詞吟詠建業的雄麗：江南美好，建業的繁華如同是舊長安一樣。忽然皇帝駕臨，百姓歡呼圍觀，場面甚是壯觀。景色雄麗中透著高處不勝寒的落寞。

詞人逸事　康熙二十三年（一六八四）九月末至十一月末，康熙帝巡行江南，納蘭性德扈駕前往，第一次來到這個風景秀麗的地方，先後到達南京、蘇州、無錫、揚州、鎮江等地。他被江南的美麗景色和歷史文化所深深吸引，江南的氣質與這位才華橫溢的貴胄公子無比契合。於是納蘭性德一連寫下一組歌頌江南美景的詞，表現出了對這種小橋流水的閑逸生活的嚮往。

又

江南好，城闕尚嵯峨。故物陵前惟石馬，遺蹤陌上有銅駝。玉樹夜深歌。

詞解　這首詞吟詠了南京城的宮闕、皇陵和街市：江南多麼美好，那城郭宮闕依然高聳。那孝陵前的石馬，宮門兩旁的銅駝，深夜的輕歌曼舞，這些前代的遺蹤還依稀可見，當日繁華的盛景仿佛集於眼前。

又

江南好，懷古意誰傳。燕子磯頭紅蓼月，烏衣巷口綠楊煙。風景憶當年。

詞解　這首詞藉歷史遺跡發弔古之情：江南多麼美好，這懷古之意誰能來傳達呢？那燕子磯邊昇起的明月，烏衣巷口如煙的楊柳，風景如同千百年前一樣啊！

又

江南好，虎阜晚秋天。山水總歸詩格秀，笙簫恰稱語音圓。誰在木蘭船。

詞解　這首詞描繪的是蘇州虎丘的美景：江南多麼美好，正是虎丘美麗的晚秋時節。山水如畫，詩情畫意，笙簫之音與柔美圓潤的吳語相融合，煞是動聽。遠處又划來一葉蘭舟，坐在上面的人會是誰呢？

又

江南好，真個到梁溪。一幅雲林高士畫，數行泉石故人題。還似夢遊非。

詞解 這首詞讚美無錫梁溪的風景如畫：江南多麼美好，如今眞的來到了梁溪。曾經看到過嚴繩孫的一幅描繪梁溪的畫，畫中又有故人的題字，使人彷彿眞的到了梁溪。如今眼前這美景到底是眞是幻呢？

又

江南好，水是二泉清。味永出山那得濁，名高有錫更誰爭。何必讓中泠。

詞解 這首詞讚美無錫惠山泉水清味永：江南多麼美好，二泉的水最爲清澈。泉流出於深山，雋永清甜，名滿天下，其美名在無錫早就爲人所知，他物不能與之相比，何必非要屈居於中泠泉之下呢？

又

江南好，佳麗數維揚。自是瓊花偏得月，那應金粉不兼香。誰與話清涼。

詞解 這首詞描繪揚州的瓊花之美：江南多麼美好啊，好花就數揚州的瓊花最美。那美麗的瓊花偏又得到明月的眷顧，美麗的花蕊自然飽含宜人的清香。誰來訴說這清涼芳香呢？

又

江南好，鐵甕古南徐。立馬江山千里目，射蛟風雨百靈趨。北顧更躊躇。

詞解 這首詞藉歷史遺跡寫鎮江美景：江南多麼美好，那鎮江的鐵瓮城聞名遐邇。立馬於北顧山上，極目遠眺，面對大江而遙想古代帝王勇武的霸業，何等的雄奇偉岸，令人躊躇滿志！

又

江南好，一片妙高雲。硯北峯巒米外史，屏間樓閣李將軍。金碧矗斜曛。

詞解 這首詞讚美了鎮江的風光如畫：江南多麼美好，那妙高峯上浮

況周頤蕙風詞話續編以梁汾詠梅句喻梁汾詞賞會若斯豈易得之並世

雲繚繞。妙高峯之風景美妙如米芾畫中的峯巒，金山上的佛寺斜矗在夕陽之中更顯金碧輝煌，如同出自大李將軍之手的畫卷。

又

江南好，何處異京華。香散翠簾多在水，綠殘紅葉勝於花。無事避風沙。

詞解　這首詞總寫江南的美好：江南是多麼美好啊，與京城有什麼區別呢？風光秀麗，山明水秀，氣候宜人。無須躲避北方那令人生厭的風沙。

詞人逸事　納蘭性德生性喜近自然，沒有人身自由的侍衛生活違背他篤愛自由的個性，在仕途實現不了抱負的情況下，醉心泉石的志趣便日益強烈。對功名的淡泊，也與他目睹官場的險惡昏暗有關，朝中朋黨傾軋，小人往往以迎合得志，英才卻失意落魄，這些使年輕正直的納蘭性德十分失望，他在詞中婉轉地批評封建君主用人的不當，惋惜有才之士的潦倒。納蘭性德雖事親至孝，卻不願在這些方面效法其父。他不肯摧眉折腰以求晉陞，對父親的弄權斂財顯然也是不認同的。

康熙二十三年（一六八四），極度厭倦侍從生活的納蘭性德扈駕南巡，爲江南秀麗山水所傾倒，更堅定了引退田園的決心，除寫出大量描繪江南景色的詩詞外，他還寫信給生平第一知己顧貞觀，吐露心靈深處的強烈願望：「恆抱影於林泉，遂忘情於軒冕，是吾願也，然而不敢必也。悠悠此心，惟子知之。」

又

新來好，唱得虎頭詞。一片冷香惟有夢，十分清瘦更無詩。標格早梅知。

詞解　這首詞藉用顧貞觀的詞讚美其品格：近來心情很好，閑來吟誦你的詞句。那詠梅的詞句冷香、清瘦，不正是你的寫照嗎？大約這些均已經被那有知有靈的梅花領會了。

憶江南　宿雙林禪院有感

心灰盡，有髮未全僧。風雨消磨生死別，似曾相識只孤檠，情在

不能醒。搖落後，清吹那堪聽。淅瀝暗飄金井葉，乍聞風定又鐘聲，薄福薦傾城。

詞解 心如死灰，除了蓄髮之外，已經與僧人無異。衹因生離死別，在那似曾相識的孤燈之下，愁情縈懷，夢不能醒。花朵凋零之後，即使清風再怎麼吹拂，也將無動於衷。雨聲淅瀝，落葉飄零於金井，忽然間聽到風停後傳來的一陣鐘聲，自己福分太淺，縱有如花美眷、可意情人，卻也常在生離死別中。

又

挑燈坐，坐久憶年時。薄霧籠花嬌欲泣，夜深微月下楊枝。催道太眠遲。憔悴去，此恨有誰知？天上人間俱悵望，經聲佛火兩凄迷。未夢已先疑。

詞解 這首詞爲傷悼亡妻之作，回憶起去年此時來，耳中所聽、眼中所見都是凄迷之情景，更增添了幾份惆悵：坐在燈下，回想陳年舊事。薄霧之下花影朦朧，夜已深沉，月亮也已經落下楊柳枝頭，聽你催促我不要睡得太晚，那樣的情景歷歷在目。而今你卻已經離去，心中無限憂恨又有誰能知道？你我天人永隔，相互悵望，在這經聲佛火中不勝凄迷，如此光景是夢是幻，還沒睡去卻已經分不清了。

又

昏鴉盡，小立恨因誰。急雪乍翻香閣絮，輕風吹到膽瓶梅。心字已成灰。

詞解 黄昏時分烏鴉都飛盡了，我卻獨自站在那裏，心中的怨恨都是爲誰而生呢？風乍起，香閣前的柳絮猶如急雪般翻飛，晚風輕輕地吹拂著膽瓶裏盛開的梅花。再看那心字篆香已經默默地燃成灰燼。

這是一首寫愛情的詞作。它抒寫的是凄苦、孤獨、幽怨的相思之情，結句更是意有雙關，心字香的燃盡不僅是實景的描畫，更隱喻了詞者心已成灰的傷感。

詞評 （容若）詩有開元風格。作長短句，跌宕流連以寫其所難言。

——韓慕廬

（容若）好觀北宋之作，不喜南渡諸家，而清新秀雋，自然超逸。

——徐健庵

容若詞，一種淒婉處，令人不能卒讀，人言愁我始欲愁。

——顧梁汾

詞人逸事 納蘭性德出身顯赫。父親明珠，官至大學士、太傅，是康熙初期的四權相之一，母親是努爾哈赤的孫女、英親王阿濟格之女愛新覺羅氏。納蘭性德更是一位俊秀飄逸、放蕩不羈、功名利祿皆唾手可得的貴公子。盡管如此，這位貴公子的一生中也有眞正的嚮往和遺憾。相傳他有位青梅竹馬的表妹，並且將表妹視爲紅顏知己，然而造化弄人，最終這位才色雙絕的表妹卻被選進皇宮，成了康熙的妃子。愛情一時間化爲泡影，使得重情的納蘭性德痛苦萬分。爲了能再見表妹一面，納蘭性德不顧殺頭的危險，在國喪時裝扮成每日進宮誦經的喇嘛混入宮中，隔著宮廷的帷幔與表妹匆匆見了一面，然而卻連一句話都沒能說上。納蘭性德帶著無限遺憾悵然而去，在他的愛情詞中由此總是透著無盡的傷感和酸楚！

赤棗子

驚曉漏，護春眠。格外嬌慵祇自憐。寄語釀花風日好，綠窗來與上琴絃。

詞解 此詞以少女的口吻抒寫春日的慵懶與嬌憨。清晨，滴漏聲將春睡的佳人驚醒，但佳人卻依然貪睡，嬌慵倦怠又暗生自憐。寄語給那催促鮮花盛開的和風麗日，到我的綠窗邊上來與我一起撥弄琴絃。

憶王孫

西風一夜翦芭蕉。滿眼芳菲總寂寥。強把心情付濁醪。讀《離騷》。洗盡秋江日夜潮。

詞解 秋風起，一夜之間吹散了芭蕉葉。在這蕭瑟的清秋，滿眼的芳菲消歇，怎能不倍感寂寞寥落？一壺濁酒固然可以勉強澆愁，暫時解憂。然而這愁情似江潮般滾滾而來且綿綿不絕，酒又豈能解懷？唯有用讀《離騷》來抒發懷思了。

又

暗憐雙紲鬱金香，欲夢天涯思轉長。幾夜東風昨夜霜，減容光，莫爲繁花又斷腸。

詞解　那成雙成對的郁金香不由得讓人生起懷人之思，夢斷天涯，相思百轉。但幾夜的風霜，又將那美麗的容光消減了，因此不要再爲了繁花凋殘而徒增煩惱了。

又

刺桐花下是兒家。已拆秋千未采茶。睡起重尋好夢賒。憶交加，倚著閑窗數落花。

詞解　那刺桐花下就是我家。現在庭院裏的秋千已經拆了，但是還沒有開始采茶。夢中你我相互偎依，親密無間，睡醒之後回想夢裏情景，衹覺好夢渺茫。春夢易醒，衹好對著窗子無聊地數著落花。

玉連環影

按此調譜律不載，或亦自度曲

何處？幾葉蕭蕭雨。濕盡檐花，花底人無語。掩屏山，玉爐寒。誰見兩眉愁聚倚闌干。

詞解　是什麽時候，下起了淅淅瀝瀝的小雨？屋檐下的花朵都已被雨水打濕，然而花底下的人卻默默無語。輕輕地將屏風掩緊，玉爐中所焚之香也已燃盡。誰能看到有個人正滿含哀愁、深鎖雙眉，獨自倚靠在欄杆邊上呢？

詞人逸事　納蘭性德是個多情之人，對所愛之人往往用情很深。在與相戀的表妹失之交臂後，十七歲的納蘭性德娶兩廣總督、兵部尚書盧興祖之女盧氏爲妻。少年夫妻無限恩愛，可惜好景不長。美好的生活衹過了短短三年，愛妻便香消玉殞了。那種「曾經滄海難爲水，除卻巫山不是雲」的深厚情感一直使納蘭性德無法自拔。情發怎會無端？又有誰能理解他這滿懷的淒楚與曠世的寂寞呢？

又

纔睡。愁壓衾花碎。細數更籌，眼看銀蟲墜。夢難憑，訊難真，祇是賺伊終日兩眉顰。

詞解　這首詞寫相思之情：纔要睡下，卻發現愁緒沉重，仿佛要將被子上的花也要壓碎了。數著手中的更籌，看著燈花墜落。你音訊全無，連在夢中也難覓蹤影，離愁難以釋懷，祇好整日裏相思、皺眉了。

遐方怨

欹角枕，掩紅窗。夢到江南伊家，博山沉水香。浣裙歸晚坐思量。輕煙籠淺黛，月茫茫。

詞解　斜靠在枕頭上，虛掩上紅色的窗子，就這樣悠悠地睡著了。睡夢中依稀來到江南她的家中，聞到了久違的博山爐中散發出的沉水香的香氣。而她剛剛洗衣歸來，獨自靜靜地坐在那裏入神地思量著什麽。裊裊青煙籠罩著她淡愁輕鎖的眉尖，抬眼望去，天空已是月色茫茫了。

訴衷情

冷落繡衾誰與伴？倚香篝。春睡起，斜日照梳頭。欲寫兩眉愁，休休。遠山殘翠收，莫登樓。

詞解　這首詞抒寫閨閣少婦的春愁春感：寂寞孤枕，誰與共眠？唯有獨自斜倚熏籠。春睡醒來依然慵懶無聊，頭不想梳，眉不想描。春日遲遲，薄暮將至，遠處的山巒也收起了那抹翠色。此情此景切莫登高憑眺，否則也祇能是徒增感傷而已。

如夢令

正是轆轤金井，滿砌落花紅冷。驀地一相逢，心事眼波難定。誰省？誰省？從此簟紋燈影。

詞解　這首小令像是納蘭追憶往日的戀人，深深懷念那一段美好的戀情之作。正是在有一架汲水轆轤的金井邊上，滿地的落花是多麽令人悵惘。驀然見到她那可愛的模樣，心事靠著眼波來傳達，卻給人一種捉摸不定的幻想。有誰知道她的心思呢？有誰知道她的心思呢？從此以後燈光燭影下，衹剩下孤獨寂寞的一個人。

詞人逸事　謝章鋌《賭棋山莊詞話》云：「容若婦沈宛，字御蟬，浙江烏程人，著有《選夢詞》……豐神不減夫婿。」丁紹儀《聽秋聲館詞話》云：「往見蔣氏《詞選》錄吳興女史沈御蟬《選夢詞》，謂是侍衛妾。」《歷代婦女著作考》稱，沈宛爲「長白進士成容若妻」。《全清詞鈔》稱，沈宛，「字御蟬，浙江吳興人，納蘭成德妻室，有《選夢詞》」等。

沈宛是納蘭性德的好友從南方帶來的一位漢家才女。兩人一位是傾慕漢家文化的憂鬱詞人，一位是出身書香門第的聰慧才女，兩個志趣相投、互相傾慕的青年男女從開始的鴻雁傳情，到終於能走到一起，這使得一種重新覓到紅顏知己的幸福感再一次回到納蘭性德身上。那顆因爲孤寂而苦悶疲憊的心一下子又年輕起來。然而這次婚姻卻沒有得到家庭的祝福，因爲明珠的反對，二人婚後的日子樂少苦多，一年之後，沈宛帶著身孕返回家鄉，而不久納蘭性德的寒疾發作，在無限的遺恨中閉上了他的雙眼。

又

黃葉青苔歸路，屧粉衣香何處。消息竟沉沉，今夜相思幾許。秋雨，秋雨，一半因風吹去。

詞解　這是一首寫給戀人的相思之作：黃葉和青苔鋪滿了回去的路，原來我們相約幽會的地方如今在哪裏呢？你離去後音訊全無，平添了今夜無限的相思之苦。窗外秋雨，一半已經被風吹去。

又

纖月黃昏庭院，語密翻教醉淺。知否那人心，舊恨新歡相半。誰見？誰見？珊枕淚痕紅泫。

詞解　一彎殘月昇起在黃昏的庭院，那喋喋的情話，纏綿的絮語，反而驅散了深濃的醉意。那人的所思所想是否有人明瞭？舊時的遺恨與新近的歡樂錯綜交織。有誰看見了？有誰看見了？那珊瑚枕上的人兒幽獨孤單，以淚洗面，難以成眠。

詞人逸事　納蘭性德將情投意合的沈宛接來京城，並安置在德勝門內。由於沈宛的身份和血統，她不能名正言順地進入納蘭府。他們衹能保持著沒有名分的關係，過著情人式的生活。但是從兩人的詩詞中，可以看得出他們心靈之間那種相知相憐的默契。這段時間的納蘭性德在心靈上得到了撫慰，快樂似乎又重新回到了他的身上。然而好景不長，由於家庭的反對，半年後，沈宛含淚返回江南，納蘭性德也突發寒疾而悵然離開人世，留下孤獨無依的沈宛和他的遺腹子。有情人終未成眷屬，留下一段讓人歎息的風流憾事。相傳這個遺腹子被生了下來，就是納蘭性德的第三個兒子，名叫富森，富森在七十歲時，曾被乾隆邀請參加太上皇所設的「千叟宴」。

又

萬帳穹廬人醉，星影搖搖欲墜。歸夢隔狼河，又被河聲攪碎。還睡，還睡，解道醒來無味。

詞解 這首詞爲塞外紀行抒懷之作：邊塞的戰場上，千萬頂帳篷散落其中。空中群星，閃爍如鑽，仿佛搖搖欲墜，征人也已經沉醉其中。沉沉美

夢中，又回到了日夜思念的家園，見到了寒窗苦守的妻子。可惜好夢易碎，戰場邊的白狼河濁浪滔滔，轟鳴的水聲將好夢攪碎，起身細細回味那夢中情景，可那情那景已隨夢一齊消逝，讓人來不及找尋。再回味也是空自惆悵，不如重回已經微涼的衾被，繼續睡去，希望還可以回到剛纔的夢中。

詞人逸事 大清以武立國，對八旗子弟而言，習武是本業，騎射功夫絕不可荒廢。納蘭性德雖以文章得名，卻以武職任官。康熙欣賞他文武兼備，若按文官品階，由進士入翰林院爲庶吉士，或實授縣令，衹得七品。因而任命他爲三等侍衛，正五品。因此，納蘭性德雖以「詞名」流傳後世，在當時，卻以武職立功邊疆。北方的梭羅、打虎兒諸部，時順時叛，令大清頭痛不已。爲阻止沙俄的南侵，大清於康熙二十一年（一六八二）派都統郎坦、彭春、薩布素等一百八十人，以狩獵爲名，沿黑龍江行圍，達雅克薩，探敵虛實，測水陸信道，進行戰略偵察，納蘭性德即在其列。他奉命出塞，勘察地理形勢，詳細記錄，以爲日後用兵參考並因此行辛勞，拔擢至

一等侍衛，三品武官。這一份記錄，在後來與俄羅斯一戰中，發揮了極大作用，而這段經歷成爲他生命中的一段華章。

這首《如夢令》正是作於康熙二十一年（一八六二）二月，納蘭性德奉命出塞偵察之時。三年後，清軍調集軍隊，水陸並進，與沙俄進行了史稱「雅克薩之戰」的反擊戰。該戰役取得勝利，迫使沙俄在於我國有利的條件下，簽訂了《中俄尼布楚條約》，阻止了沙俄向南擴張。衹可惜，捷報傳來時，納蘭性德已因病去世了。康熙特意遣宮使靈前哭告梭羅輸款之功，以表揚他的勛勞，朱彝尊並有挽詩記此哀榮。

天仙子

夢裏蘼蕪青一翦，玉郎經歲音書斷。暗鐘明月不歸來，梁上燕，輕羅扇，好風又落桃花片。

詞解 此篇以閨中婦人的口吻表達了孤寂哀傷的傷春傷別情懷和寂寞深閨的孤寂之情：夢中所見到的是一片青青齊整的蘼蕪，而我的情郎卻音信全無。深夜的鐘聲響起，已是明月當空，可是他卻還不歸來。梁上

劉熙載詞概
小令之作難
小卻好難好
卻小

的燕子都已歸巢，而我祇能空搖著手中的團扇，看著春風吹落的片片桃花。

又

好在軟綃紅淚積，漏痕斜罥菱絲碧。古釵封寄玉關秋，天咫尺，人南北，不信鴛鴦頭不白。

詞解 此詞有擬古意味。渾樸古拙，深致動人，委婉地表達了鄉關之思及詞人對愛妻的深情懷念：淚水灑濕了衣衫，草字行行，猶如斜掛著的菱蔓。一封書信遙寄千里之外的征人，天涯咫尺，人各南北，如此愁思即使朝夕相伴的鴛鴦見了也會愁白青絲！

又 淥水亭秋夜

水浴涼蟾風入袂，魚鱗蹙損金波碎。好天良夜酒盈樽，心自醉，愁難睡，西南月落城烏起。

詞解 此篇是對淥水亭秋夜美景如畫的描摹：水中月色浮動，清風吹起衣袖，魚兒來回游動攪碎了池中的月色。面對如此良辰美景自當對酒

當歌，然而心雖醉了，愁緒卻難以釋懷，眼看著月亮落下，城牆上的烏鴉飛起，又是一個不眠之夜。

詞人逸事 納蘭性德的府邸在今北京什剎海後海，現在爲宋慶齡紀念館及中華人民共和國衛生部。詞中所描繪的淥水亭如今已經蕩然無存。然而當年這裏卻是納蘭性德讀書、寫作、會客的地方。他短短一生中著述豐厚，有《通志堂詩集》五卷、《淥水亭雜識》五卷；還有《全唐詩選》《詞韻正略》；與友人合訂《大易集義粹言》八十卷、《陳氏禮記集說補正》三十二卷；刻有《通志堂經解》一千八百六十卷。

又

月落城烏啼未了，起來翻爲無眠早。薄霜庭院怯生衣，心悄悄，紅闌繞，此情待共誰人曉。

詞解 這首詞抒寫相思孤寂的情懷：清曉月落，城烏遍啼，早早起牀是因爲一夜無眠。庭院裏一層薄霜，涼意襲人，夏衣已不勝其寒。心中寂寞索然，這份情思又有誰能夠知曉呢？

江城子

濕雲全壓數峯低。影淒迷，望中疑。非霧非煙，神女欲來時。若問生涯原是夢，除夢裏，沒人知。

詞解　此篇詠史之作突出的是詞人的心靈感受，藉男女情事，慨歎世間一切的美好皆如夢幻，稍縱即逝，突出了如夢之感的情感體驗。第一句用景語，含有如夢如幻之感。又以淒迷的感受來承接，更添了夢幻之意。其後用楚襄王夢神女的典故，進一步烘託夢幻般的感受。最後道出這種感受衹有自己能夠感知到，透露出一種淒迷寂寞、悲涼傷感的心情。

詞人逸事　納蘭性德天資聰穎，讀書過目不忘。幾歲便練習騎射，文武兼備。十七歲的納蘭性德入太學讀書，得到國子監祭酒徐文元賞識，並推薦給其兄內閣學士禮部侍郎徐乾學。納蘭性德十八歲參加順天府鄉試，中舉人，然而在十九歲會試時卻因病沒能參加殿試。而後數年中他更加發奮研讀，並在兩年內主持編纂了一部一千七百九十二卷編名爲《通志堂經解》的儒學彙編，深受康熙賞識。他又於家中淥水亭畔，用三四年時間將搜讀經史過程中的見聞和學友傳述記錄整理成文，編成四卷集《淥水亭雜識》，其中包含歷史、地理、天文、曆算、佛學、音樂、文學、考證等多方面知識。二十二歲時，他再次參加進士考試，並以優異成績考中二甲第七名。康熙皇帝授予其三等侍衛官職，以後陞爲二等，再陞爲一等。扈駕隨行，每在身邊，足見康熙對他的喜愛。

長相思

山一程，水一程。身向榆關那畔行，夜深千帳燈。　風一更，雪一更。聒碎鄉心夢不成，故園無此聲。

詞解　這是詞人隨駕出關的感受：一程又一程的山水從眼前流過，我們正一點一點地向關外行進，夜深了，部隊安營扎寨，千萬盞燭火從行軍帳中透出來，景色煞爲壯觀。夜半風雪交加，攪碎了我那顆思鄉之心，家鄉的庭園裏是聽不到這種聲音的啊！

詞評　「明月照積雪」，「大江流日夜」，「中天懸明月」，「長河落日圓」，此種境界，可謂千古壯觀。求之於詞，唯納蘭容若塞上之作，如《長相思》之「夜深千帳燈」，《如夢令》之「萬帳穹廬人醉，星影搖搖欲墜」差近之。

——王國維《人間詞話》

容若豪宕之作，往往祇得半闋，後半即衰颯氣弱。如《長相思・山一程》《采桑子・丁零詞》皆如是。

——趙秀亭《納蘭叢話》（續）

「夜深千帳燈」是壯麗的，但千帳燈下照著無眠的萬顆鄉心，又是怎樣情味？一暖一寒，兩相對照，寫盡了自己厭於扈從的情懷。

——嚴迪昌《清詞史》

唐詩裏有絕句《從軍行》，用簡短的篇幅來描寫邊塞風光、將士們的生活和情懷，向來受到傳誦。詞裏寫這種題材的比較少見，這首詞恰好是小令（簡短篇幅的詞）當中的《從軍行》。

——於在春《清詞百首》

納蘭性德在清康熙二十一年（一六八二）三月，隨從皇帝東巡，出山海關。此詞當作於這一時期。上闋從白天行軍寫到晚上駐扎；下闋寫在營中卧聽風雪的吼叫，思鄉之情甚切。其中「夜深千帳燈」一句，取景新穎豪壯，深受王國維讚賞。

——黃天驥《納蘭性德和他的詞》

詞人逸事

納蘭性德作爲皇帝身邊的御前侍衛，以英俊威武的武官身份參與風流斯文的詩文之事。他隨皇帝南巡北狩，遊歷四方，奉命參與重要的戰略偵察，隨皇上唱和詩詞，譯制著述，因稱聖意，多次受到恩賞，是人們羨慕的文武兼備的少年英才，帝王器重的隨身近臣，前途無量的達官顯貴。然而他卻對自己的扈從生涯十分厭倦，不時在詞作中體現出鄉關之思和怨尤之情。

清康熙二十一年（一八六二）二月十五日，康熙因雲南平定，出關東巡，祭告奉天祖陵。納蘭性德隨從康熙帝詣永陵、福陵、昭陵告祭，二十三日出山海關，三月的天氣仍是風雪迷漫，顯出了塞上的苦寒。身爲滿洲貴胄的納蘭性德，當此之時夜不能寐，風雪淒淒，思鄉之情油然而生。他不禁想起了北京什刹海後海家中的溫暖和溫馨，於是寫下了這篇千古佳作。

相見歡

微雲一抹遙峯，冷溶溶。恰與個人清曉畫眉同。　紅蠟淚，青綾被，水沉濃。卻向黃茅野店聽西風。

詞解　此篇大約作於出使途中，抒寫對妻子的思念：微雲下一片冷森森的遠山，此情此景恰與她清曉所畫的眉形相類，這怎能不叫我泛起對她無盡的思念呢？曾幾何時，她獨偎紅燭，青綾被冷，沉香繚繞。而我卻身在遠方，停宿黃茅野店，耳畔是西風獵獵，又如何不傷感寂寞呢！

又

落花如夢淒迷，麝煙微。又是夕陽潛下小樓西。　愁無限，消瘦盡，有誰知？閒教玉籠鸚鵡念郎詩。

詞解　詞中通過對環境氛圍的渲染、動作的描繪、心理的刻畫，塑造了閨中女子傷春念遠的形象：眼前落花如夢幻般淒涼迷茫，麝香的煙氣裊

裊昇起，又是一個夕陽西下的黃昏。無限的愁思、衣帶漸寬的消瘦，這些又有誰知曉呢？寂寞無聊無處排遣，衹好教籠中的鸚鵡來念你曾爲我寫下的詩句。

昭君怨

深禁好春誰惜，薄暮瑤階佇立。別院管絃聲，不分明。　又是梨花欲謝，繡被春寒今夜。寂寞鎖朱門，夢承恩。

詞解　藉「宮禁」中一女子的形象抒寫其相思相戀的苦情：在這深宮之中，大好的春光有誰會來憐惜？太陽已經落山，我獨自在這深宮的臺階上佇立。耳中恍惚傳來其他院落的音樂聲。今年的梨花又要謝了，而我依然是孤枕難眠。寂寞將這朱紅的大門深鎖，蒙受皇恩衹是夢裏纔有的事罷了。

又

暮雨絲絲吹濕，倦柳愁荷風急。瘦骨不禁秋，總成愁。　別有心情怎說，未是訴愁時節。譙鼓已三更，夢須成。

詞解 傍晚的小雨將四周打濕，園中的柳樹與荷花在疾風中搖曳。瘦弱的身形怎麼禁得起秋雨的洗禮？愁苦之情油然而起。然而別有的心情又從何說起呢？我又絕非單純爲秋風秋雨而傷懷。夜已三更，唯有去夢中消解了。

酒泉子

謝卻荼䕷，一片月明如水。篆香消，猶未睡，早鴉啼。嫩寒無賴羅衣薄，休傍闌干角。最愁人，燈欲落，雁還飛。

詞解 在那一片月明如水的夜裏，白色的荼䕷花凋謝了。篆香已經燃盡，可是我還沒有睡著，早起的烏鴉已經開始啼叫，又是一夜不成眠。絲絲的寒冷透過微薄的錦衣，不要再倚靠欄杆遠望了。那燈要燃盡，鴻雁猶飛的情景是最讓人傷懷的啊！

生查子

東風不解愁，偷展湘裙衩。獨夜背紗籠，影著纖腰畫。爇盡水沉煙，露滴鴛鴦瓦。花骨冷宜香，小立櫻桃下。

詞解 這一首小詞寫女子懷春：正在傷懷時，不解風情的春風偏偏吹來，輕輕吹開了她的裙衩。在寂寞的夜裏，衹有在燈前顧影自憐了。沉香燃盡，連煙氣也已消散，露珠滴落在成對的鴛鴦瓦上，爲何衹有我形單影隻？夜來天寒露冷，而花蕾卻發出宜人的香氣，衹好小立於櫻桃樹之下聊以自慰。

又

鞭影落春堤，綠錦障泥捲。脈脈逗菱絲，嫩水吳姬眼。嚙膝帶香歸，誰整櫻桃宴？蠟淚惱東風，舊壘眠新燕。

詞解 詞上闋寫騎馬遊經春堤，堤岸與春水之景：馬鞭的影子投落在春天的河堤上，障泥微捲，春日的水面碧綠如錦。水波蕩漾，菱絲蔓蔓，纏繞交織，仿佛脈脈含情，嫩綠的春水好像是吳姬的眼波。下闋寫郊遊歸來後的傷情：騎著駿馬帶香而歸，與文人墨客觀花賞春、相聚暢飲後的殘酒孤樽又有誰來收拾呢？歡宴過後獨自面對燭淚，傷春的意緒又油然而起，那梁上的舊巢依然，衹是宿巢的卻是一雙新燕。

又

散帙坐凝塵，吹氣幽蘭並。茶名龍鳳團，香字鴛鴦餅。玉局類彈棋，顛倒雙棲影。花月不曾閑，莫放相思醒。

詞解　詞中生動地描繪了貴族之家綺艷優裕的生活：讀書時，雖然四周積聚了些許的微塵，然而身邊卻有吐氣如蘭的愛妻相伴。品味著龍鳳團茶，燃著鴛鴦餅的香料。兩人一起下棋，看棋盤上的影子也成雙成對。花好月圓，好不愜意。

詞人逸事　納蘭性德是歷史上很少遇到美滿婚姻又能沉醉於婚姻的詞人。康熙十三年（一六七四），十九歲的納蘭性德與十七歲的盧氏成婚，自此掀開了他們夫妻愛情生活的帷幕。盧氏是兩廣總督、兵部尚書盧興祖的女兒，父親是地道的封疆大吏，女兒自然也是與納蘭門當戶對的大家閨秀。史上有關於盧氏的記述有：「夫人生而婉，性本端莊，貞氣天情，恭客禮典。明璫佩月，即如淑女之章，曉鏡臨春，自有夫人之法……幼承母訓，嫻彼七襄，長讀父書，佐其四德。」

這對少年夫妻無限恩愛，柔情萬般。在他這個時期的詩詞中，任何人都能感受到其中神怡心醉的燕爾之悅。納蘭性德爲夫人畫像填詞，兩人賭書對弈，可謂琴瑟合鳴、美意融融。那種在世俗人眼裏幾近完美的家庭環境，郎才女貌，無論從物質到精神都構成所謂天設地造的金玉良姻。

然而這種幸福生活衹維持了三年。之後，盧氏便因難產而撒手離去，納蘭性德的生活也被徹底打碎。作爲一個愛妻深切的多情之人，納蘭性德將妻子病逝的責任攬在自己肩上，長期處於自責當中，陷入了一種無法解脫的痛苦。而自此之後他的詞風也爲之一變，寫出了一首首肝腸寸斷、萬古傷心的悼亡之詞。

又

短焰剔殘花，夜久邊聲寂。倦舞卻聞雞，暗覺青綾濕。天水接冥濛，一角西南白。欲渡浣花溪，遠夢輕無力。

詞解　詞人身處邊地，在夜色中徘徊，離別的憂愁昇起，愁腸百轉，難以成眠。詞的上闋將聞雞起舞的典故反用，表現出詞人深藏的隱怨。下闋用浪漫的筆調抒寫夢中的情景，表達了怨情與離憂交織的愁緒，想要歸去的美好願望變得如此無力。

又

惆悵綵雲飛，碧落知何許。不見合歡花，空倚相思樹。　總是別時情，那得分明語。判得最長宵，數盡厭厭雨。

詞解　詞中抒寫的是長夜懷思的苦情。上闋寫綵雲飛逝，不知飄落在天空何處，就像愛人蹤影全無，讓人無限惆悵。而今看不到往日盛開的合歡花，衹落得空倚相思樹的悲涼。下闋則說離別時的情景言猶在耳，使得相思的人甘願在這空蕩蕩的夜裏輾轉反側，徹夜不眠，忍受著這孤獨淒清之苦。

詞人逸事　合歡是夫妻恩愛的象徵，合歡花在納蘭性德的眼裏和心中都是甜蜜愛情的回憶，甚至在他臨死之前還念念不忘那段琴瑟合鳴的美好生活。康熙二十四年（一六八五）五月二十三日，納蘭性德在寓所召集梁佩蘭、顧貞觀、姜西溟、吳天章、朱彝尊等人，舉行了他生前最後一次宴會。席間，他們以庭院中兩棵合歡花分題歌詠，納蘭性德寫下一首五律：「階前雙夜合，枝葉敷華榮。疏密共晴雨，捲舒因晦明。影隨筠箔亂，香雜水沉深。對此能銷忿，旋移迎小楹。」

第二天，納蘭性德便卧牀不起，「七日不汗」，高燒不退，繼而溘然長逝。而他去世這天正是康熙二十四年（一六八五）五月三十日，這一天也是他原配夫人盧氏逝世八周年忌日。這對恩愛夫妻終於在另一世界團聚了。

點絳唇　寄南海梁藥亭

一帽征塵，留君不住從君去。片帆何處，南浦沉香雨。　回首風流，紫竹村邊住。孤鴻語，三生定許，可是梁鴻侶？

詞解　這首詞爲贈別之作：你意欲南歸，留也留不住，衹好讓你走了。你踏上歸途，要回到多雨的家鄉去。回首往日隱居紫竹村邊，那瀟灑風流的生活實在令人懷念。那天空中飛過的孤鴻，可是你尋覓了三生的伴侶呢？

【詞人逸事】梁佩蘭自少時攻讀經史百家之學。清順治十四年（一六五七）參加廣東鄉試，中第一名（解元）。此後六次參加會試均落第。至康熙二十七年（一六八八），他已年近花甲，但仍第七次赴京參加會試，終於考取進士，旋即被授翰林院庶吉士。梁佩蘭爲參加進士考試，長期滯留京師，故與納蘭性德相識，結爲知己。在《贈成容若侍中》詩中寫道：「及爾見君子，和顏悦且康。顧念我草澤，自忘躬貂璫。」但梁佩蘭仕進不利，故於清康熙二十年（一六八一）離京返粵，納蘭性德作此詞贈別，表達了對他的深切懷念。

康熙二十三年（一六八四），納蘭性德還曾寄信約他北上共選宋諸家詞，信中寫道：「不知足下樂與我共事否？處此雀喧鳩鬧之場，而肯爲此冷淡生活，亦韻事也。望之！望之！」雖然這件事最後沒能成行，然而梁佩蘭還是應約來到北京。康熙二十四年（一六八五）五月，納蘭病前一日曾與南北名士共詠雙夜合歡花，其中就有梁佩蘭，可見兩人相交密切，感情甚篤。

又　詠風蘭

別樣幽芬，更無濃艷催開處。凌波欲去，且爲東風住。　忒煞蕭疏，怎耐秋如許。還留取，冷香半縷，第一湘江雨。

【詞解】此詞爲題畫兼詠物之作，描寫了風蘭的別樣風致：風蘭散發出不尋常的香味，素雅恬淡而沒有一絲濃艷浮華。它在秋風中搖曳的姿態猶如凌波仙子般輕盈飄逸。它的葉子如此稀疏，怎麼耐得住那寒冷的清秋呢？於是留取那半縷清香入得畫中，這幅張見陽所畫之風蘭堪稱畫中第一了。

【詞人逸事】張純修字子敏，號見陽，又號敬齋，祖籍河北豐潤，出生於奉天遼陽，隸滿洲正白旗，爲內務府包衣。後以進士第授江華縣令，官至廬州知府。張見陽與納蘭性德相交甚厚，甚至結爲異姓兄弟。納蘭性德翰墨傳世不多，所能見到者，唯張見陽集與其往來尺牘裝訂成冊，這是目前唯一研究納蘭筆札的珍貴資料。自張見陽結識納蘭性德以後，他將一部分藏品轉贈給納蘭性德，足見二人志趣相投，愛好相從，品性相尚。納蘭性德也曾在給張見陽的信中說道：「一人知己，可以無恨，余與張子，有同心矣。」

納蘭性德去世後，張見陽爲其輯刻《飲水詩詞集》並作序，稱其「所以爲詩詞者，依然容若自言，『如人飲水，冷暖自知』而已」。而詞中這幅栩栩如生的《風蘭圖》，正是張見陽爲納蘭性德所畫。此時，張見陽任湖南江華縣令，因此詞中纔有「第一湘江雨」之句，稱道其所畫之風蘭堪稱畫中第一。

又

對月

一種蛾眉，下絃不似初絃好。庾郎未老，何事傷心早？素壁斜輝，竹影橫窗掃。空房悄，烏啼欲曉，又下西樓了。

詞解

這是一首對月傷懷、淒涼幽怨之作：同樣的蛾眉月，但下絃之月不如上絃月好。就像那愁苦之時下垂的眉毛不如歡樂時上彎的眉毛好一樣。被滯留北國的庾信年紀未老，爲何過早地開始傷心呢？白色的牆壁上落下夕陽的餘暉，竹影在窗欞間輕輕搖曳。相思的人獨守空閨，直到

烏鴉聲起、清曉將至，月亮也落下來了。

又　黃花城早望

五夜光寒，照來積雪平于棧。西風何限，自起披衣看。　對此茫茫，不覺成長歎。何時旦，曉星欲散，飛起平沙雁。

詞解　這首詞描繪了黃花城雪後將曉的景象：初雪後的五更之夜，黃花城中瀰漫著寒光，積雪的峭壁上，棧道顯得平滑了許多。寒風又怎能阻撓我披衣觀景的興致呢？面對著茫茫雪色，不覺心中悵然，無限慨歎！什麼時候才能天亮呢？天空中的晨星要消散了，廣漠沙原上的大雁也已經起飛開始新的征程。

詞人逸事　一說黃花城在山西山陰北境黃花嶺後，地處雁北塞上，距五臺山差不多一天多一點的路程。清康熙二十二年（一六八三），納蘭性德曾於二月和九月兩次扈從康熙巡幸五臺山，這一次是受命去大同，途經黃花城宿夜，看到此情此景，有感而發，便有了此作。

又

小院新涼，晚來頓覺羅衫薄。不成孤酌，形影空酬酢。　蕭寺憐君，別緒應蕭索。西風惡，夕陽吹角，一陣槐花落。

詞解　此篇是念友之作：秋風吹過，寂靜的小院添了幾許涼意，夜裏已能感覺到衣衫有些單薄了。我獨自酌飲，唯有自己的形影相隨，非常孤獨寂寞。想起在遠方的你，離愁別緒涌上心頭，頓感寂寞蕭索。夕陽西下，秋風無情地吹過，吹落了一地的槐花。

詞人逸事　納蘭性德生平頗多傳奇，如生長華閥，位居清要，但情思抑鬱、倦於仕祿，並「惴惴有臨履之憂」。其雖爲滿洲貴族，然而所結交的多爲漢人才學之士。在清初那種滿漢之防甚嚴、成見極深的情況下，納蘭卻與世稱落落難合的「一時俊異」顧貞觀、姜宸英、嚴繩孫、陳維崧、秦松齡等結交契厚。同時，納蘭仗義解囊，才情富艷，頗爲狷狂，得姜宸英輩賞識，所以締爲深交。因爲姜宸英到京參加「博學鴻詞」考試，在京時曾寓蕭寺。從「蕭寺憐君」一句來看，此詞大約就是寫給好友姜宸英的。

浣溪沙

錦樣年華水樣流，鮫珠迸落更難收。病餘常是怯梳頭。一徑綠雲修竹怨，半窗紅日落花愁。愔愔衹是下簾鉤。

詞解 這首詞爲閨怨之作：錦繡一般美好的年華像流水一樣逝去了，於是傷心難過，淚水漣漣，病愈之後常常害怕對鏡梳頭，怕看到鏡中自己的憔悴模樣。綠竹枝葉繁茂卻滿含怨尤，落日的餘暉灑至窗邊，照在落花之上，更生出許多愁怨。衹得悄悄地放下簾子，如此寂寞地獨處深閨了。

又

肯把離情容易看，要從容易見艱難。難拋往事一般般。今夜燈前形共影，枕函虛置翠衾單。更無人與共春寒。

詞解 這首詞述說離情：說是要把離別看得容易一些，可是這容易之中又有多少艱難。艱難的是難以將一件件往事拋開，不再去想。今夜對著燈燭形影相弔，孤枕難眠，獨自承受這料峭春寒，怎不叫人傷心難過呢！

又

已慣天涯莫浪愁，寒雲衰草漸成秋。漫因睡起又登樓。伴我蕭蕭惟代馬，笑人寂寂有牽牛。勞人衹合一生休。

詞解 這首詞寫離恨和埋怨：已經習慣了天涯漂泊就不要再無謂地憂愁了，秋來一片衰草寒雲卻平添一份愁緒。不要因爲睡醒了無聊又去登樓遠眺，那樣衹會徒增煩惱。陪伴我的衹有代馬的長嘶聲，人間的寂寞連牛郎星也爲之發笑，憂愁的人一輩子都衹能如此煩悶了。抱怨長期奔走天涯，有家不得歸，有妻不得伴的隱恨。

又

十里湖光載酒遊，青簾低映白蘋洲。西風聽徹采菱謳。沙岸有時雙袖擁，畫船何處一竿收。歸來無語晚妝樓。

詞解 這首詞用白描的手法寫風光：看那十里湖光，無限美景，當邊飲酒邊遊賞。那青色的酒旗在風中招展，與白蘋沙洲相互映襯。秋風送來采菱人的歌聲，分外悠揚！畫船游於水中，從船上向兩岸望去，所見盡是繁華熱鬧、美女蹁躚的美麗景象。

又

脂粉塘空徧綠苔，掠泥營壘燕相催。妒他飛去卻飛回。一騎近從梅里過，片帆遙自藕溪來。博山香燼未全灰。

詞解　這首詞寫閨中女子的離怨：脂粉塘長滿了綠苔，已非昔時的景象，壘巢的燕子掠泥而飛，好像是奔忙相催。於是離愁頓起，嫉妒它們既能飛去又能飛回，而思念的人卻不見蹤跡。多麼希望那思念的人，或從近處梅林裏出現，或從藕溪中乘船歸來，可是願望總是成空，衹能對著博山爐中似盡非盡的香燼發呆。

又　大覺寺

燕壘空梁畫壁寒，諸天花雨散幽關。篆香清梵有無間。蛺蝶乍從簾影度，櫻桃半是鳥銜殘。此時相對一忘言。

詞解　這首詞爲大覺寺的記遊之作：大覺寺已荒涼殘破，而在這幽閉的關隘之地，衆高僧們竟做出了頌揚佛法的無量功德，淡淡的香煙

與清幽的誦經聲隱隱約約，似有若無。庭院荒置，蝴蝶驟然從簾影中飛出，樹上的櫻桃多半被小鳥啄爛，此情此景讓人無法用語言來表達自己的感受。

詞人逸事　大覺寺始建於遼代，它是北京「八大寺院」之一，納蘭性德當時見到的大覺寺是明代的規制。至今大雄寶殿、三世佛殿還保留著明代的木結構。大覺寺院落寬闊，殿堂高大，花木繁多，以玉蘭、銀杏最爲著名。大殿中保留著精美壁畫、懸塑。至今主佛像、「二十諸天」、「十二緣覺」的塑像保留完好。所以，在納蘭性德的這首《浣溪沙・大覺寺》中有「燕壘空梁畫壁寒，諸天花雨散幽關」、「蛺蝶乍從簾影度，櫻桃半是鳥銜殘」這樣的描繪，其中空梁、畫壁、諸天、蛺蝶、燕雀等都不是作者憑空臆造的。而且從中還能感受到侍衛在高大殿堂的臺階下巡行，在僻靜的行宮跨院當值的情景，使人領略到一種梵天幽靜之感。

又

拋卻無端恨轉長，慈雲稽首返生香。妙蓮花說試推詳。但

是有情皆滿願，更從何處著思量。篆煙殘燭並回腸。

詞解　這首詞描繪通過佛法求得心態平和的過程：想丟去無端的煩惱，幽恨卻轉而更長了，唯在慈雲寺祈祝返回之後纔覺香氣四射、神清氣爽了。試著去推究那讓人忘記煩惱的佛法要義，心靈得到了淨化。但若所有發願的事都實現了，那人生還有什麼要去思量的呢？還爲什麼要在夜裏輾轉反側，反復思量呢？

又　小兀喇

樺屋魚衣柳作城，蛟龍鱗動浪花腥，飛揚應逐海東青。　猶記當年軍壘跡，不知何處梵鐘聲，莫將興廢話分明。

詞解　這首詞藉由小兀喇的景色和風俗來抒發興亡之歎：這裏的百姓生活樸素，以樺木建構屋宇，魚皮做衣服，扦插柳木作爲城圍。滾滾江水如同蛟龍翻騰，連浪花都帶著腥味，獵人們追逐著海東青飛馳。還記得當年軍壘的遺跡，卻不知從哪裏傳來梵鐘之聲打破了思緒。還是不要再妄談興衰成敗了吧，那些又怎麼能說得清楚呢！

又　姜女祠

海色殘陽影斷霓，寒濤日夜女郎祠。翠鈿塵網上蛛絲。　澄海樓高空極目，望夫石在且留題。六王如夢祖龍非。

詞解　這首詞藉遊姜女祠抒今昔之感：殘陽倒映海中猶如一段綵虹霓，姜女祠日夜對著大海的寒濤，孟姜女神像頭上的翠鈿都已經落滿了塵土、爬滿了蛛網，可憐她夜夜孤寂。站在澄海樓上極目遠眺，那孟姜女所化的望夫石還屹立在那裏，權且留下題詩，戰國紛爭，群雄逐鹿，秦始皇統一中原，這一切是非如今看來祇不過是大夢一場！

又

淚浥紅箋第幾行，喚人嬌鳥怕開窗，那能閑過好時光。　屏障厭看金碧畫，羅衣不奈水沉香。遍翻眉譜祇尋常。

詞解　這首詞以閨中女子的口吻來寫對愛人的深切懷念：你身在遠方，我無限懷念，寫信遙寄相思，淚水卻一次次滴濕信箋。窗外有鳥兒嬌聲啼叫，我卻不敢開窗，因爲害怕想起以前與你共度的美好時光。屏風上的金碧畫，煙霧繚繞的水沉香，被翻了又翻的眉譜，因爲你不在身邊，而使得這所有的一切都變得百無聊賴了！

又

伏雨朝寒愁不勝，那能還傍杏花行。去年高摘鬬輕盈。 漫惹爐煙雙袖紫，空將酒暈一衫青。人間何處問多情。

詞解 這首詞描繪了一種意興闌珊、多情而又無奈的意緒：這連綿不斷的小雨，讓人平添了無盡的閑愁，不能像往常一樣在杏花樹下漫步了。記得去年還曾經與同伴在一起攀上枝頭摘取花枝，比賽誰最輕盈利落。而今卻祇能百無聊賴地看著爐煙輕輕地縈繞，雙袖在爐火映照中泛著紫紅的顏色，身著青衫而臉上泛起了酒暈。試問什麼叫作多情呢？

又

誰念西風獨自涼？蕭蕭黃葉閉疏窗。沉思往事立殘陽。 被酒莫驚春睡重，賭書消得潑茶香。當時祇道是尋常。

詞解 這是一首懷念亡妻的悼亡之作：秋天到了，涼意襲人，落葉紛

紛，祇有我對著窗子獨自冷落。夕陽西下，無限往事就這樣不期然地襲上心頭。以前的日子是多麼快樂美滿啊，想起我們把酒言歡、春睡不起、賭書潑茶的日子，這些美好的時光在當時是多麼的稀鬆平常，而今卻再也不能重溫！

詞人逸事 這首詞中，納蘭性德用了李清照與趙明誠夫婦賭書潑茶的典故來抒寫自己和亡妻曾經的甜蜜生活。

宋代著名詞人李清照，十八歲時與右相趙挺之之子趙明誠結婚，夫妻生活甜蜜恩愛。兩人志趣相投，一起收集古玩字畫，並一起勘校，考訂版本，生活十分閑適愜意。

他們最常做的遊戲就是在晚飯後猜書鬥茶。兩人先煮上一壺茶，然後輪流由一人說出一句或一段古人的詩文，讓對方猜這句話出自哪本書、第幾卷、第幾頁、第幾行，以猜中與否分勝負，猜對了就優先喝一杯茶。由於李清照的記憶力特別強，幾乎是每猜必中，趙明誠不得不甘拜下風。然而，聰明幽默的趙明誠也每每在李清照端起茶杯時講笑話，結果常常引

得她哈哈大笑，以致茶杯傾覆懷中，澆得一身濕漉漉。李清照將這些生活趣事記錄在自己與丈夫合寫的《金石錄後序》中，成爲才子佳人傳誦的千古佳話。

又

蓮漏三聲燭半條，杏花微雨濕輕綃。那將紅豆記無聊？ 春色已看濃似酒，歸期安得信如潮。離魂入夜倩誰招。

詞解 這首詞寫的是離情：夜已經深了，蠟燭也已經燃燒過半，杏花微雨，淋濕了紅嫩的花朵。將紅豆取出，記下這無聊的心緒。春色已經如酒般濃重，而離人卻不能像定期而至的潮水般如期歸來，衹盼望能在夢裏與他相逢。

又

消息誰傳到拒霜？兩行斜雁碧天長，晚秋風景倍淒涼。 銀蒜押簾人寂寂，玉釵敲燭信茫茫。黃花開也近重陽。

詞解 這是一首愛情詞，爲所戀之人而作：是誰傳來了消息，説待到秋天木芙蓉花開的時候他便回來？如今大雁都已經飛過了，晚秋濃重的景色讓人倍感淒涼。景物空曠，斯人憔悴，心事難耐，衹有以玉釵輕輕敲燭藉以排遣愁懷。眼看菊花開了，又近重陽，思念的那個人啊，卻依然音信渺茫。

吳世昌詞林新話：此必有相知名菊者，爲此詞所屬意，惜其本事已不可考。

又

雨歇梧桐淚乍收，遣懷翻自憶從頭，摘花銷恨舊風流。 簾影碧桃人已去，屧痕蒼蘚徑空留。兩眉何處月如鉤？

詞解 這是一首遣懷之作，表達對戀人的懷念之情：秋雨停了，梧桐樹葉不再滴雨，好像是止住了它流淌的眼淚。我將與她度過的美好時光細細地從頭追憶，追憶那些當初曾與她有過的美好風流的往事。那簾影碧桃下美人的倩影已經不在，而長滿蒼蘚的小徑上卻空留下她那嬌小的鞋痕。我思念的人兒啊，你如今在哪裏呢？

王儼齋：柔情一縷，能令九轉腸回，雖山抹微雲君不能道也。

又 西郊馮氏園看海棠，因憶《香嚴詞》有感

誰道飄零不可憐，舊遊時節好花天，斷腸人去自今年。 一

片暈紅纔著雨，幾絲柔綠乍和煙。倩魂銷盡夕陽前。

詞解　誰說花兒凋零不會令人生起憐愛之情呢？當年同遊之時正是春花競放的美好時光。性情中人啊，自斷柔腸。眼前紅花一片，春雨微著，嫩柳絲絲在煙靄中搖曳。黃昏時分，滿腔愁苦，夕陽落照前的美景令少女爲之夢斷魂銷。

詞解　龔嘗有《蓦山溪》「重來門巷，盡日飛紅雨」二句，爲當時所傳誦。觀容若此詞，似不勝重來之感。

——李勖《飲水詞箋》

又

按此闋與前「伏雨朝寒」字句略同，顧刻本「西郊」二闋接錄，故因之。

酒醒香銷愁不勝，如何更向落花行。去年高摘鬭輕盈。　夜雨幾番銷瘦了，繁華如夢總無憑。人間何處問多情。

詞解　此篇與前首「伏雨朝寒」字句大致相同，且詞意也十分相近。兩篇可以放在一起來讀。

又

欲問江梅瘦幾分，只看愁損翠羅裙，麝篝衾冷惜餘熏。　可耐暮寒長倚竹，便教春好不開門。枇杷花下校書人。

詞解　這首詞寫的是在美好的春日，卻愁極寂寞的情態：要知江邊的梅樹瘦削了幾分，衹要看看她翠羅裙中愈加纖瘦的腰肢便能知曉。寂寞空庭，香殘寢冷，如何不叫人憔悴呢？春天的黃昏總是伴著一絲微寒，獨自矗立在瘦竹之畔，即使是再好的春光，也讓我提不起開門賞玩的興致，就像那枇杷花下的讀書之人一樣。

詞人逸事　納蘭性德在這首詞中藉用了薛濤的典故來凸顯自己的寂寞寥落之情。薛濤是唐代著名的女詩人。父親薛勛原在京城爲官，「安史之亂」與妻子裴氏遷往蜀中。不久，裴氏生下一女，遂取名薛濤，字洪度，意思是她是在渡過驚濤駭浪的洪流之後降生的。

幾年後薛勛去世，薛家家道中落，薛濤不得已入樂籍。但薛濤才情出衆，並與當地官吏和當時的著名詩人唱酬。脫名樂籍後，薛濤更以女詩人身份，出入幕府。當時的中書令韋臯聽說了薛濤的才華，召她應席賦詩，薛濤不假思索立題《謁巫山廟》一詩：

亂猿啼處訪高唐，一路煙霞草木香。山色未能忘宋玉，水聲尤是哭襄王。朝朝夜夜陽臺下，爲雨爲雲楚國亡。惆悵廟前多少柳，春來空鬭畫眉長。

韋臯大加讚賞，並準備提名她爲校書郎。但是受到護軍阻撓，祇好作罷。而她「女校書」的名號卻被叫響。又因爲薛濤家門前有幾棵枇杷樹，韋臯就用「枇杷花下」來描述她的住地，從此「枇杷巷」也成了妓家之雅稱。後來，由於薛濤幾經沉浮，與元稹的愛情也受到打擊，於是暮年的薛濤索性穿起道袍，閉門索居，不再參與詩酒花韻之事。

又

一半殘陽下小樓，朱簾斜控軟金鈎。倚闌無緒不能愁。　有個盈盈騎馬過，薄妝淺黛亦風流。見人羞澀卻回頭。

詞解　這首詞用叙事的手法勾畫出閨中女子懷春又羞怯的形象：夕陽已經要落山了，小樓之上珠簾斜掛，樓上的人倚靠著欄杆，心緒無聊，無法控制心中的憂愁。這時，一個騎馬的少女不期然出現了，她雖然祇是薄施粉黛，卻顯得那麼瀟灑、那麼風流。然而發現有人注視她時又嬌羞地轉過了頭。

又

睡起惺忪強自支，綠傾蟬鬢下簾時。夜來愁損小腰肢。　遠信不歸空佇望，幽期細數卻參差。更兼何事耐尋思。

詞解　這首詞是傷離之作，寫的是女子對丈夫的思念：清晨，睡眼惺忪，還要強自支撐著梳頭化妝，看看鏡中的自己，一夜之間因爲相思苦悶又瘦了一圈。憑欄佇立，望眼欲穿，遠方卻依然沒有傳來他的消息。一遍遍細細數著相會的時日，然而心思太亂，想的事情太多，怎麼數也數不清。

又

五月江南麥已稀，黃梅時節雨霏微。閑看燕子教雛飛。　一

梅子黃時雨

水濃陰如罨畫，數峯無恙又晴暉。湔裙誰獨上漁磯。

詞解 這首詞描繪的是江南五月的景色：初夏的五月，江南的田野裏麥子已經被收割得差不多了。梅子黃熟時節，梅雨迷蒙，到處都是一片朦朧的景象。閑來無事，便看著燕子教雛燕學習飛翔。眼前被水洗過的景像絢麗得如同色綵明艷的圖畫一般，斜暉落照水邊，磯岸上洗衣女郎的倩影歷歷，是那樣優美動人。

又

殘雪凝輝冷畫屏。落梅橫笛已三更。更無人處月朧明。 我是人間惆悵客，知君何事淚縱橫。斷腸聲里憶平生。

詞解 這首詞是詞人感懷身世之作：殘雪的光輝灑在屏風上，使得上面的圖畫仿佛也變得冷凝起來。耳畔傳來《落梅花》的笛聲，月色朦朧，沉夜寂寂。我是人世間那個滿懷惆悵的過客，知道你爲何這般眼淚縱橫地在無限哀歎中追憶平生。

又　詠五更，和湘真韻

微暈嬌花濕欲流，簟紋燈影一生愁。夢回疑在遠山樓。殘月暗窺金屈戍，軟風徐蕩玉簾鉤。待聽鄰女喚梳頭。

詞解　這首詞藉愁人形象抒發了自己滿懷的無聊：暗夜逝去，拂曉到來，天色微微亮，隱約露出了花朵的風姿。手臂上落下的枕席之痕，孤燈前的倩影，這一切都在訴說著一個人無盡的寂寞寥落。昨夜的夢中似乎又回到了那魂牽夢繞的地方。衹是醒來卻發現唯有那一彎殘月將光輝灑在這閨房之中，和風徐蕩，空屋無人，衹好靜靜地等待鄰家女子招喚同伴梳頭的聲音了。

又

五字詩中目乍成，盡教殘福折書生。手挼裙帶那時情。別後心期和夢杳，年來憔悴與愁幷。夕陽依舊小窗明。

詞解　這首詞寫別後相思：一首五言詩讓我們心有靈犀，眉目定情。爲何偏偏要把這短暫的幸福降臨到我的身上呢？讓我如此興奮，緊張地揉搓身上的衣帶，那時的情景至今仍歷歷在目。可惜自從離別之後，我們便天各一方，音信渺茫，怎不使我生出相思之情，衣帶漸寬，爲伊憔悴，日日憑窗眺望，卻不見你的歸來。

又

記綰長條欲別難，盈盈自此隔銀灣。便無風雪也摧殘。青雀幾時裁錦字，玉蟲連夜翦春旛。不禁辛苦況相關。

詞解　這首詞描寫的是女子的離情別恨：記得你我離別之時，楊柳依依，難捨難分。從此之後我們便天各一方，如同隔著銀河般難以跨越。如此煎熬縱是無風雪摧逼的好時光，也依然是惆悵難耐。一別之後便音容杳然，日日期盼音信的到來，盼望著能與你相聚，然而希望卻一次次變成了失望，怎不叫人失落惆悵、憂傷縈懷。

又　古北口

楊柳千條送馬蹄，北來征雁舊南飛。客中誰與換春衣。終古閑情歸落照，一春幽夢逐遊絲。信回剛道別多時。

詞解　這首詞表達詞人已經厭於扈從生涯，思念愛人的情懷：春光無限，楊柳垂青，我卻踏上征程。天空飛過的大雁依舊是去年飛走的那一群吧，如今春又歸來，誰來換取春天的新衣呢？自古以來的閑情別恨都寄予了那一縷殘陽，春日迷蒙的夢境依舊如飄動著的蛛絲般讓人不可琢磨，剛剛還在埋怨聚少離多，分別太久，你的信便到了，想來你跟我想的是一樣的吧！

詞人逸事　納蘭性德身爲皇帝侍衛，深受康熙喜愛，「上（皇帝）有指揮，未嘗不在側……上之幸海子、沙河、西山湯泉及畿輔五臺、口外盛京、烏喇，及登東嶽，幸闕裏，省江南，未嘗不從」。單單是古北口一處，就曾多次扈駕經過，如康熙十六年（一六七七）十月，扈駕赴湯泉；康熙二十一年（一六八二）二月至五月，扈駕巡視盛京、烏喇等地；康熙二十二年（一六八三）六月、七月，奉太皇太后出古北口避暑；康熙二十三年（一六八四）五月至八月，出古北口避暑等。

康熙愛讀納蘭性德的詩詞，經常賞賜給他各種禮物：「先後賜金牌、綵緞、上尊御饌、袍帽、鞍馬、弧矢、字帖、佩刀、香扇之屬甚伙。中歲萬壽節，上親書唐賈至《早朝》七言律詩賜之。月餘令賦乾清門應制詩，譯御製《鬆賦》，皆稱旨。於是外庭僉言，上知其有文武才，且遷擢矣。」清代文壇，納蘭性德算是一個拿到了「金牌」的詩人，這些足見康熙對他的榮寵。然而一次次的扈駕遠行，自己身爲護衛壯志難酬的尷尬身份，已經使他厭倦了這種生活，因而每每在其詩詞中有所體現。

又

身向雲山那畔行。北風吹斷馬嘶聲。深秋遠塞若爲情。一抹晚煙荒戍壘，半竿斜日舊關城。古今幽恨幾時平。

詞解　這首詞抒發了奉使出塞的淒惘之情：向著遠方的征程前進，北風的吼聲使馬嘶聲也聽不到了。面對如此深秋野塞又是怎樣的情懷呢！一縷炊煙昇起在荒涼蕭瑟的營壘之上，斜日欲落懸掛於關塞破舊的城堡上。面對此情此景，古往今來的墨客征人深藏心中的滿腔怨恨何時纔能消解呢？

又

萬里陰山萬里沙。誰將綠鬢鬬霜華。年來強半在天涯。魂夢不離金屈戍，畫圖親展玉鴉叉。生憐瘦減一分花。

詞解　這首詞抒發了作者出使荒漠後與愛人的相思之苦：綿延無盡的陰山下是一望無際的沙海，是誰使烏黑的頭髮變成了白色，一年來大半在天涯空度。讓我魂牽夢繞的還是那溫馨的故園和故園中的伊人，看著畫像上她那消瘦的身影，讓人頓生憐惜之情。

又　庚申除夜

收取閒心冷處濃，舞裙猶憶柘枝紅。誰家刻燭待春風。竹葉樽空翻綵燕，九枝燈灺顫金蟲。風流端合倚天公。

詞解　此篇描繪了貴族之家除夕守歲的情景：將寒冷除夕夜裏濃郁的閑情收起，那優美動人的柘枝舞是多麼令人追憶懷戀的啊！當年是誰家在除夕夜刻燭靜待新春的到來呢？竹葉青酒喝盡了，人人頭飾綵燕；個個興高采烈；九枝燈熄了，那燈芯仿佛是一條條顫動的金蟲。如此風流應該是渾然天成，非人力所能爲的啊！

又　紅橋懷古，和王阮亭韻

無恙年年汴水流。一聲水調短亭秋。舊時明月照揚州。曾是長堤牽錦纜，綠楊清瘦綰離愁。玉鈎斜路近迷樓。

詞解　這首詞以懷古來詠懷，藉詠隋煬帝窮奢極欲，抒寫不勝今昔的感慨：那汴河的流水依然年年如是地流淌，猶記得當年渠成之時的那曲《水調歌》，那時的明月直灑到揚州。千里長堤，楊柳綿延，煬帝出遊的盛況，仍歷歷在目，難怪那岸邊的綠楊至今仍不勝憂愁。而今繁華落盡，衹有那埋葬宮女的墓地與輝煌一時的迷樓相望相慰了。

詞人逸事　這首詞作於康熙二十三年（一六八四）十月，是納蘭性德扈駕巡幸江南抵達揚州之時爲和王士禎的《浣溪沙》而作。

修禊是古代的一種民俗，於農曆三月上旬的巳日（三國魏以後始固定爲三月初三）到水邊嬉戲，以祓除不祥。清代著名詩人王士禎開啓了清代紅橋修禊的先河，他在揚州任推官期間，「晝了公事，夜接詞人」，

「與諸名士遊無虛日」。他去世後，揚州百姓將他和宋代歐陽修、蘇軾並列，建「三賢祠」以表紀念。康熙元年（一六六二）春，王士禛主持紅橋修禊，作《浣溪沙》三首，其中廣爲流傳的名句有：「北郭清溪一帶流，紅橋風物眼中秋，綠楊城郭是揚州。」衆人皆和韻作詩，一時傳爲佳話。納蘭性德這首詞正是爲和此詞而作。

康熙三年（一六六四）春，王士禛再次與諸名士修禊於紅橋，王士禛作《冶春絶句》二十首，其中「紅橋飛跨水當中，一字欄杆九曲紅。日午畫船橋下過，衣香人影太匆匆」一首膾炙人口，唱和者甚衆，一時形成「江樓齊唱《冶春》詞」的空前盛況，大有王羲之蘭亭雅會之勢。王士禛後將這些詩詞編成《紅橋唱和集》三卷。時至今日，王士禛留下的《綠楊城郭》《冶春》這兩首佳詞，仍在揚州傳唱不衰。

又

鳳髻抛殘秋草生，高梧濕月冷無聲，當時七夕記深盟。信得羽衣傳鈿合，悔教羅襪送傾城。人間空唱《雨淋鈴》。

詞解　這首詞是一首悼亡之作，藉唐明皇與楊貴妃的典故，表達了詞人對亡妻的深切懷念：鳳髻散亂，斯人已經悵然逝去，孤單地沉睡在一片荒涼的秋草之中，面對這寂寞梧桐、冷月無聲，回想起當年七夕之夜的海誓山盟，怎不叫人心中凄愴？原來相信仙人可以傳遞彼此的信物，後悔當時將伊人遺物都與她一同埋葬了，如今唯有自己唱著《雨淋鈴》空自惆悵了。

又

腸斷斑騅去未還，繡屏深鎖鳳簫寒。一春幽夢有無間。逗雨疏花濃淡改，關心芳草淺深難。不成風月轉摧殘。

詞解　這首詞以閨中女子的口吻寫離愁別恨：丈夫遠行在外遲遲不歸，相思令人柔腸寸斷，閨中寂寞無聊，繡屏緊鎖，鳳簫也閑置起來不再吹奏了。相思的苦情攪擾得人如夢如幻。春雨灑在了稀疏的花上，使花也改變了濃淡的顏色，令人傷情的芳草也淺深難辨。春色縱然美好，然而不能和你在一起也衹能是徒增傷感。

況周頤蕙風詞話飲水詞有云吹花嚼蕊弄冰絃又云烏絲闌紙嬌紅篆容若短調輕清婉麗誠如其自道所云

又

旋拂輕容寫洛神，須知淺笑是深顰。十分天與可憐春。　掩抑薄寒施軟障，抱持纖影藉芳茵。未能無意下香塵。

詞解　這首詞寫的是一位美貌女子的畫像，表達了對她的由衷讚美和憐愛：在畫布上輕輕地描摹她如洛神般美麗的姿容，連不高興時皺眉的樣子都好像是在微笑。如春天般讓人憐愛。怕畫中的她衣著太單薄而寒冷，就加上了屏障，又將她的身影安置在華美芳香的褥墊上。她也情意綿綿，猶如仙女下到了塵界。

又

十二紅簾窣地深，纔移剗襪又沉吟。晚晴天氣惜輕陰。　珠衱佩囊三合字，寶釵攏髻兩分心。定緣何事濕蘭襟。

詞解　這首詞寫的是閨怨：繡織有太平鳥的紅色簾幕垂掛在地上，剛剛移動了腳步又遲疑起來。晚來晴好的天氣可惜又帶著些許的陰鬱。綴有珠玉的裙帶上佩帶著香囊，正切中了「三合」之吉日字。用寶釵將髮髻攏起，好像分開的兩個「心」字。你我的姻緣既然已是前世注定，你又是為何事而傷心落淚呢！

又

容易濃香近畫屏，繁枝影著半窗橫。風波狹路倍憐卿。　未接語言猶悵望，纔通商略已懵騰。只嫌今夜月偏明。

詞解　這首詞描繪的是戀人初逢的場面：上闋前兩句是對初見景物的描摹，畫屏、繁枝、疏影，渲染出相見的氣氛。盡管這段戀情充滿艱險和隱憂，但是憐愛之情卻因此加倍。下闋寫相逢後乍喜乍悲，沒有說話時惆悵地想望，開始交談後又心緒慌亂，詞不達意。如此的心緒繁複，都是因為那月亮太明造成的。

又

十八年來墮世間，吹花嚼蕊弄冰絃。多情情寄阿誰邊。　紫玉釵斜燈影背，紅綿粉冷枕函偏。相看好處卻無言。

詞解　這首詞描繪了妻子的嬌好美艷：上闋總寫妻子既有高才又多

情可愛，她像天上的仙子一樣，十八年前來到了人世間，琴棋書畫、詩詞歌賦相伴，生活得高雅而快樂。她那麼多情可愛，卻將所有的愛都賦予了我。記得新婚之初，她是那樣的嬌好美麗、儀態萬方，在燈影恍惚中，偏倚著枕函。若兩情相悅，即使無聲也勝似有聲。

又　寄嚴蓀友

藕蕩橋邊理釣筒，苧蘿西去五湖東，筆牀茶竈太從容。　況有短墻銀杏雨，更兼高閣玉蘭風。畫眉閑了畫芙蓉。

【詞解】這首詞從想象出發，滿懷深情地描繪了南歸故里的嚴繩孫的生活情景：藕蕩垂釣，五湖泛舟，過著隱逸高致的生活，自在陶然至極。每日或執筆揮筆潑墨，或烹茶品茗，從容淡定，怡然自得。所居之處更是安閑之景，短牆銀杏、高閣玉蘭，著雨經風後更加風流動人。在這如詩如畫的環境中逍遙自在，想必閑來無事時以爲妻子畫眉、畫芙蓉爲樂吧。

【詞人逸事】納蘭性德雖爲滿洲貴族、權臣之子、皇帝親信，然而他本性純然，樂善好施，完全沒有門第觀念，與僧道、藝人、失第舉子、落職官宦均有交遊。他與江南很多文朋詞友成爲莫逆之交，相互切磋學問，砥礪志節；自己的才情也得到他們的認同，終作爲一位滿族貴公子在上層社會中超凡脫俗。

無錫人嚴繩孫便是他的莫逆之交，嚴繩孫工書畫，五十七歲時因爲是「江南名布衣」而被逼應試博學鴻詞科。然而他看透清廷衹是利用該科名士做政治工具，僅寫了一首詩即託病退場，納蘭性德卻視其爲好友，兩人詞風也相近。

後來嚴繩孫回到江南，隱居在無錫西洋溪藕蕩橋畔，過著閑適愜意的生活。顧貞觀《離亭燕・藕蕩蓮》自注云：「地近楊湖，暑月香甚，其旁爲埽蕩營，蓋元明間水戰處也。蓀友往來湖上，因號藕蕩漁人。」這首詞是嚴繩孫歸隱江南後，納蘭性德的懷友之作，可見二人感情之深厚。故宮藏有禹之鼎畫納蘭性德像，嚴繩孫題詩畫上。

又

欲寄愁心朔雁邊，西風濁酒慘離筵。黃花時節碧雲天。　古戍烽煙迷斥堠，夕陽村落解鞍韉。不知征戰幾人還。

詞解 這首詞表現了塞上送客的蒼茫淒清之感：想要把離愁寄予南飛的大雁，這離別的筵宴令人倍感憂愁淒苦。又是黃花遍地的重陽時節，天高雲淡，卻要天涯作別。古堡的烽煙迷惑了斥候，夕陽下征人卸去行裝駐扎安營，卻不知這征戰沙場的人們有幾人能平安歸來？

又

敗葉填溪水已冰，夕陽猶照短長亭。何年廢寺失題名。 倚馬客臨碑上字，鬭雞人撥佛前燈。淨消塵土禮金經。

詞解 這首詞藉「廢寺」今非昔比的破敗，隱喻世事的無常：在這一片破敗荒涼的廢棄寺廟裏，到處堆滿了枯枝敗葉，夕陽雖然依舊，但人事卻已全非。不知道從何年何月起，連寺名也不知是什麼了。還有誰會來到這荒涼的古寺中呢，原來的善男信女已經絕跡，所到之人都是閑來無事的貴族豪門的紈絝子弟。且讓我抱著一顆虔敬之心來整理這些蒙塵的佛經吧。

詞人逸事 納蘭性德是一位入世極深的士人，然而他所嚮往的卻是溫馨自在的生活。在康熙身邊多年，他看遍了清廷的政治黨爭傾軋，他想做的事不能做，不想做的事又不得不做。在不停的陪侍出行中耗蝕青春年華，這些都使他厭畏思退。

再加上他的父親明珠，本來是位政治才能傑出的能臣，在統一臺灣、平定三藩、治理黃河水患等重大國務中都起了相當大的推動作用。他還堅定地支持天主教會，爲閉塞的皇朝打開了與外界交流的門。這些都足以使他名垂青史，然而勢高位重同時也滋長了明珠的腐敗作風，他結黨營私，貪污受賄，終被罷相。雖然這些在納蘭性德生前尚未發生，然而這位才子卻似乎已然預見到了這個結局。面對朝爲權貴、暮則家破勢盡猶如窮僧的境遇，納蘭性德自嘲是「鬬鷄人撥佛前燈」，透出了看破前程卻又無可奈何的憂傷之懷！

又 郊遊聯句

出郭尋春春已闌（陳維崧），**東風吹面不成寒**（秦松齡），**青村**

幾曲到西山（嚴繩孫）。**並馬未須愁路遠**（姜宸英），**看花且莫放杯閑**（朱彜尊），**人生別易會常難**（納蘭性德）。

詞解　這首詞是納蘭與友人合譜之作，寫在北京西郊的春遊：出城來踏春，沒想到春天已經盡了。東風吹在臉上已經沒有一絲涼意，山路彎彎，曲折地通往西山。停下馬來不要擔心路途遙遠，看山花爛漫時莫忘舉杯暢飲，衹是人生分別容易，重聚卻很難。

詞人逸事　納蘭性德沒有門第觀念，喜好交友，且友人多是漢族才子。他與江南很多文朋詞友成爲莫逆之交，相互切磋學問，砥礪志節；難能可貴的是，他以滿族貴公子的身份得到了大家的認同。納蘭性德仗義助友的事跡也是不勝枚舉。這首詞的幾位作者個個與納蘭性德交情深厚，無錫人秦松齡因奏銷案被斥革十餘年，納蘭性德薦舉博學鴻詞開科錄取一等；浙西詞派創始人朱彜尊與他也是交誼終生，陽羨詞派領袖宜興人陳維崧曾填《賀新郎・贈成容若》有「昨夜知音纔握手」的感佩之言；還有姜宸英和嚴繩孫與納蘭性德更是莫逆之交。因此好友聯詞纔會如此渾然天成。

霜天曉角

重來對酒，折盡風前柳。若問看花情緒，似當日，怎能夠？　休爲西風瘦，痛飲頻搔首。自古青蠅白璧，天已早安排就。

詞解　這首詞是與友人共酌時抒發的感慨：再一次對酒作別，若能將你留住，我情願將柳枝折盡。而此時的心境與當日大不一樣，怎能夠像往日看花遊賞時一樣呢？不要爲了世事難料而消瘦、焦慮。自古以來好人無辜受小人詆毀而蒙冤，是老天早已安排好的，還是放下心結，隨遇而安吧。

菩薩蠻　回文

霧窗寒對遙天暮，暮天遙對寒窗霧。花落正啼鴉，鴉啼正落花。　袖羅垂影瘦，瘦影垂羅袖。風翦一絲紅，紅絲一翦風。

詞解　古代的詩詞中，士人喜歡用「回文」這種文字遊戲來體現自己的才華或者作爲娛樂，通常價值不大。這首詞描摹的是眼前風物，雖然意義不大，但是依舊不失雋永別致。從中更可看到詞人嫻熟的文字技巧。

又

隔花纔歇廉纖雨，一聲彈指渾無語。梁燕自雙歸，長條脈脈垂。小屏山色遠，妝薄鉛華淺。獨自立瑤階，透寒金縷鞋。

詞解　這首詞寫春雨過後，閨中女子傷春的意緒：連綿不斷的細雨總算停了，彈指間我們離別已久，辜負了美好春光，如今衹剩我孤寂無聊，無語可述。抬頭望去，畫梁上的燕子都已成雙歸來，風中的柳條默默低垂。舉目遠眺，遠山仿佛是小小的屏風，獨守空閨的人兒淡施薄妝，獨自佇立在石階之上，盼著遠方的斯人歸來，即使石階的寒氣已經穿透金縷繡鞋也無所謂。

又

新寒中酒敲窗雨，殘香細裊秋情緒。纔道莫傷神，青衫濕一痕。無聊成獨臥，彈指韶光過。記得別伊時，桃花柳萬絲。

詞解　這首詞寫春日的相思之苦：乍暖還寒的天氣下著小雨，酒醉後殘存的餘香似乎也在模仿著秋天的傷感情緒。果然是在懷念遠方的人啊，要不怎麼會淚濕青衫呢？相思之情不勝愁苦，我一個人孤枕而眠，更覺煩悶無聊。彈指間，美好的時光一去不復返，還記得當初和你分別時，桃花千樹，楊柳依依的畫面，這一切多麼令人懷念又惆悵啊。

又

惜春春去驚新燠，粉融輕汗紅綿撲。妝罷祇思眠，江南四月天。綠陰簾半揭，此景清幽絕。行度竹林風，單衫杏子紅。

詞解　這首詞描寫初夏時節，仕女傷春的情景：憐惜春色，春天卻已離去，初夏的天氣帶來了絲絲微熱，化妝時已能感到臉上的輕汗。梳洗過後祇想睡覺，好好感受一下江南四月的天氣。珠簾半揭，綠樹成蔭，景色秀麗幽靜。竹林清風，杏紅衣衫，如此的清新靈動。

又

夢回酒醒三通鼓，斷腸啼鴂花飛處。新恨隔紅窗，羅衫淚幾行。相思何處說，空有當時月。月也異當時，團欒照鬢絲。

詞解 這是一首月夜懷人之作：三鼓之時，酒醒夢回，難耐的傷痛令人徹夜無眠。輾轉之間，偏又傳來杜鵑的悲啼之聲，倍添離愁，益增傷情，於是清淚漣漣，濕透衣衫。然而此情此怨又能對誰訴說？衹有天空的明月作伴。此時的明月卻也與別時不同，清冷的月光衹是照映著我的鬢髮。

又

催花未歇花奴鼓，酒醒已見殘紅舞。不忍覆餘觴，臨風淚數行。粉香看欲別，空賸當時月。月也異當時，淒清照鬢絲。

詞解 這首詞寫離情：離別的筵席之上擊鼓爲樂，以助酒興，酒醒之後，卻是滿眼落花。花開旋落，好景不常，盛筵將散，離別在即，不忍喝完杯中殘酒，這情景怎能不叫人迎風垂淚呢？離別是無法避免的，別後衹能空自對月，月光依舊，而心緒全非，淒清的光輝下如今衹剩我一個人黯然神傷了。

又

曉寒瘦著西南月，丁丁漏箭餘香咽。春已十分宜，東風無是非。蜀魂羞顧影，玉照斜紅冷。誰唱《後庭花》，新年憶舊家。

詞解 這首詞抒發作者的傷感之情：清晨天氣清寒，西南天邊斜掛著一彎淒涼的月影，漏壺聲叮咚作響，燃盡的香煙仍在室內繚繞。春色合宜，東風卻將美好的春光送走了，令人情難以堪。我不敢顧影自憐，鏡子中頭戴紅花的形影實在令人倍覺傷心淒冷。誰在哼唱那淒涼寂寞的亡國之曲，讓我在這新的一年裏不覺想起了曾經的家園。

菩薩蠻

窗前桃蕊嬌如倦，東風淚洗胭脂面。人在小紅樓，離情唱《石州》。夜來雙燕宿，燈背屏腰綠。香盡雨闌珊，薄衾寒不寒？

詞解 這首詞寫閨中女子春日孤寂無聊的情態：窗前的桃花正在含苞欲放，它的嬌嫩模樣就像睏倦了一樣。我終日以淚洗面，思念著遠方的人兒。人在小紅樓之上，哼唱《石州》之曲以訴離情。雙燕背燈而宿，成對的身影落到了屏風中間，昏暗不明。上闋前兩句亦人亦景，含雙關之意。後兩句寫紅樓獨處，藉唱《石州》曲而抒離情之苦。下闋寫夜來之孤

陳廷焯白雨齋詞話楊柳乍如絲故園春盡時亦淒婉亦閑麗頗似飛卿語惜通篇不稱

獨寂寞，以雙燕烘襯，更突出了孤苦淒清的離情別恨。點燃的篆香已經燃盡，屋外濛濛細雨，這單薄的被子又怎能抵禦寒冷？

又

朔風吹散三更雪，倩魂猶戀桃花月。夢好莫催醒，由他好處行。　無端聽畫角，枕畔紅冰薄。塞馬一聲嘶，殘星拂大旗。

詞解　這首詞寫作者在邊塞對妻子的懷念：寒冷的夜裏，北風吹散了漫天的白雪，我卻在夢中眷戀著春天桃花盛開的美好時光。如此的好夢請不要讓它醒來，繼續由它在美好中徘徊吧。然而耳畔卻無端傳來一陣畫角之聲，攪碎了美夢，更令人惆悵難耐，遂覺枕邊孤清淒冷，淚水濕透了紅枕。天邊殘星明滅，大旗在風中招展，空寂中一陣馬嘶傳來，邊塞之上是如此的淒清、寒冷。

又

問君何事輕離別，一年能幾團圓月。楊柳乍如絲，故園春盡時。　春歸歸不得，兩槳松花隔。舊事逐寒潮，啼鵑恨未消。

詞解　這首詞描寫對故人的思念：你爲什麼要將離別看得如此淡然，一年當中能有幾回團圓的好時光呢？這裏的柳樹剛剛露出新芽，想必家鄉已經是春色將盡了吧！想要回去，卻被這松花江阻隔。我追思往事，令人心寒，如同子規鳥一般，想要歸去的離恨始終難以排遣。

詞人逸事　康熙二十一年（一六八二）二月十一日，康熙皇帝再次由北京出發到盛京告祭祖陵，同時巡視吉林烏喇（今吉林市）等地。納蘭性德作爲一等侍衛扈從。長白山爲滿族興起地，康熙一行三月二十五日抵吉林烏喇，在松花江岸舉行了望祭長白山儀式。這首詞大約作於此時，當時天氣尚寒，納蘭性德懷念北京的家和家中等待的人，同時流露出其厭於扈從等事的心情。

又　爲陳其年題照

烏絲曲倩紅兒譜，蕭然半壁驚秋雨。曲罷髻鬟偏，風姿真可憐。　鬚髯渾似戟，時作簪花劇。背立訝卿卿，知卿無那情。

詞解　這首詞是爲好友陳維崧作的題照：陳維崧譜好詞曲，令歌兒舞

女唱，他雖家貧卻才華橫溢，令世人震驚。歌兒舞女美艷柔媚，曲罷之後的神態十分可愛。陳維崧長相威武，絡腮胡子怒張如戟，然而卻時常頭戴紅花手舞足蹈，背對著心愛的人輕聲訴說無限衷情。既富湖海豪氣，又不無綺艷，可謂剛柔相濟。

詞人逸事 陳維崧出身於講究氣節的文學世家，祖父陳於廷是明末東林黨的中堅人物，父親陳貞慧是當時著名的反對「閹黨」的「四公子」之一。陳維崧少時作文敏捷，詞采瑰偉，曾被名士吳偉業譽爲「江左鳳凰」。明亡，當時二十歲的陳維崧入清補爲諸生，但長期未曾得到官職。他身世飄零，遊食四方，與當時名流過從甚密。與朱彝尊在詞壇並爲「陽羨派」領袖。其詞風格豪邁奔放，兼有清真嫻雅之作，現存《湖海樓詞》。康熙十八年（一六七九），召試鴻詞科，時年逾五十，授檢討，修《明史》。

陳維崧長納蘭性德三十歲，二人爲忘年之交，但二人交誼至厚。康熙十七年（一六七八）戊午閏三月二十四日，陳維崧在揚州時，廣東著名詩畫僧大汕爲他畫了小像。秋天，陳維崧入京應博學鴻詞科試，將畫像帶到京城，當時有三十餘名才子名士爲此圖題詠。納蘭性德的這首詞就是其中之一。

又 宿灤河

玉繩斜轉疑清曉，淒淒白月漁陽道。星影漾寒沙，微茫織浪花。 金笳鳴故壘，喚起人難睡。無數紫鴛鴦，共嫌今夜涼。

詞解 上闋用白描寫景，寫夜宿灤河的月下之景，清曉時分，月光、古道、星輝、浪花，一切都顯得朦朧而淒迷。下闋用金笳聲烘托夜的孤寂，令人難以入睡。結處描寫紫鴛鴦成雙成對的夜宿更添自身的孤獨和冷清。

又

荒雞再咽天難曉，星榆落盡秋將老。氈幕繞牛羊，敲冰飲酪漿。 山程兼水宿，漏點清鉦續。正是夢回時，擁衾無限思。

詞解 這是一首描繪邊塞行役生活及思念家園的小詞：三更天裏，荒雞叫了兩次，天都還沒有亮。榆樹葉都已凋落，預示著秋天將盡。氈帳四周圍繞著牛羊群，在寒冷的天氣裏人們藉喝酒取暖。旅途上的征人跋涉千山萬水，清脆的鉦聲接續著漏壺的滴滴聲，行止無定，夜以繼日，唯獨在夢中能得到些許安慰，但好夢又不成，衹剩下無限的苦思了。

又 白日驚飈冬已半

驚飈掠地冬將半，解鞍正值昏鴉亂。冰合大河流，茫茫一片愁。 燒痕空極望，鼓角高城上。明日近長安，客心愁未闌。

詞解 正是隆冬時節，狂風席捲著大地，於是我解下馬鞍停駐，抬頭看已是烏鴉紛飛的黃昏時分。大河冰封，白茫茫的一片如同無限憂愁！周圍一片淒涼，四處都是野火燒過的痕跡，高城上響起軍隊出發的號角聲。明天就要接近京城了，征人的心緒卻猶未平靜。

又

榛荊滿眼山城路，征鴻不爲愁人住。何處是長安，濕雲吹雨寒。 絲絲心欲碎，應是悲秋淚。淚向客中多，歸時又奈何。

詞解 這首詞寫鄉關客愁：通往山城的路上，荊棘遍佈，天空飛過的大雁，不曾爲滿腹愁苦的人停留。哪裏纔是我的家鄉呢？天空的濕雲灑下了滴滴愁雨，寒冷的雨滴打在臉上，讓人頓覺寒意。那悲秋的眼淚划過臉龐，心也要碎了，那流淚的人都是離家遠行的人們，茫茫前程，卻無歸期，怎不讓人黯然神傷。

又

黃雲紫塞三千里，女墻西畔啼烏起。落日萬山寒，蕭蕭獵馬還。

笳聲聽不得，入夜空城黑。秋夢不歸家，殘燈落碎花。

詞解　這首詞寫塞上風景，突出鄉關之思：天近黃昏，茫茫邊塞籠罩在千里黃雲之下，高城的女牆邊上烏鴉飛起。夕陽西下，群山沉浸在一片苦寒之中，這時外出巡獵的人們也已經回來了。夜幕之下，荒漠淒涼，思鄉之情油然而生，那胡笳的幽咽之聲此時是萬萬聽不得的。在這蕭索的夜裏連夢中都不能回到故園，衹能看著那一盞孤燈的燈花自顧自地掉落。

又　寄顧梁汾苕中

知君此際情蕭索，黃蘆苦竹孤舟泊。煙白酒旗青，水村魚市晴。

柁樓今夕夢，脈脈春寒送。直過畫眉橋，錢塘江上潮。

詞解　這首詞爲寄贈之作：上闋詩人設想友人此刻正在歸途之中，因仕途淹蹇而心情蕭索，猶如當年被貶後孤舟漂泊的白居易一般。但是船在水村魚市停泊後，眼前看到的是煙白酒旗青，一派平靜安詳的景象。下闋想象夜間他在舟中獨自忍受著春夜清寒。直到過了畫眉橋，看到了久別的家鄉和愛侶，終於可以安享和美的家庭快樂，過上安閑隱居錢塘江畔的生活了。

又

蕭蕭幾葉風兼雨，離人偏識長更苦。欹枕數秋天，蟾蜍下早絃。

夜寒驚被薄，淚與燈花落。無處不傷心，輕塵在玉琴。

詞解　這首詞用白描的手法寫相思離別之苦：悠悠長夜，風雨闌珊，更讓離別的人感覺長夜漫漫。斜靠著枕頭數著日子，抬頭望去月亮已過了上絃，漸漸地圓了。秋夜寒冷，頓覺衾被單薄，衹有對著孤燈垂淚。環顧四周，到處都是你留下的影子，看著琴上蒙著的微塵，怎能不叫人傷心？

又

爲春憔悴留春住，那禁半霎催歸雨。深巷賣櫻桃，雨餘紅更嬌。

黃昏清淚閣，忍便花飄泊。消得一聲鶯，東風三月情。

詞解　這首詞爲傷春傷別之作：春日將盡，想要把春天留住，卻哪裏禁得起那一場催促的雨？雨後的深巷中是誰在叫賣著櫻桃，那鮮紅的櫻桃在雨水過後顯得更加嬌艷欲滴了。然而獨守空閨的人兒卻在黃昏時分，眼含清淚，獨自看著那落花飄飄。怎消得那一聲鶯啼，更增添了暮春的一份傷情。

又

晶簾一片傷心白，雲鬟香霧成遙隔。無語問添衣，桐陰月已西。

西風鳴絡緯，不許愁人睡。只是去年秋，如何淚欲流。

詞解　這首詞是寫征人思念妻子的傷離之作：月夜之下又思念起妻子，那水晶簾，那如雲青絲，想來都令人不勝傷感。夜已深沉，月亮也已經西沉，隻身在外，沒有人詢問冷暖，好不淒涼。西風陣陣，絡緯聲聲，不但難以入眠，且更令人添愁增恨。此際與去年秋日並無不同，可我爲何這樣傷情動感，眼淚欲流呢！

詞評　容若與盧氏伉儷情篤，盧氏死後，容若「悼亡之吟不少，知己之恨尤深」（葉舒崇《皇清納臘室盧氏墓誌銘》）。這些「悼亡之吟」出自肺腑，其心愈苦，其情愈眞，是納蘭詞集中十分引人注目的部分。這首《菩薩蠻》作於清康熙十六年（一六七七）秋，距盧氏之死約三個月。「無語問添衣，桐陰月已西」，因一個細節又惹起無盡哀思，夜深人獨，淒然淚流，容若寫下當時的感受，有恨海難填之痛。

——盛冬鈴《納蘭性德詞選》

秋夜，詩人對著月色，無法入睡，想起了遠隔關山的妻子。最後兩句，暗喻年年離別。去年，離別的眼淚還可以強忍；今年，雖然景色依然，傷心人卻無法壓抑自己的感情了。

——黃天驥《納蘭性德和他的詞》

又

烏絲畫作回文紙，香煤暗蝕藏頭字。筝雁十三雙，輸他作一行。

相看仍似客，但道休相憶。索性不還家，落殘紅杏花。

詞解 這首詞寫春暮閨人懷遠的孤寂情景：烏絲欄中寫滿了相思的詩句，香煤將藏頭詩中的字暗暗侵蝕。十三根絃的筝柱前後排列，形成了齊整的一行，已經無心去彈撥了。離別之時，執手相看，卻道不要彼此思念。於是索性不回家去，任杏花凋落也不去理會！

又

闌風伏雨催寒食，櫻桃一夜花狼藉。剛與病相宜，瑣窗薰繡衣。

畫眉煩女伴，央及流鶯喚。半晌試開奩，嬌多直自嫌。

詞解 這首詞描繪了一個女子病愈後乍喜乍悲的情態：寒食時節，風雨不止，一夜之間櫻桃花零落。剛剛病愈，便起而薰衣。又逢寒食節將至，於是煩請女伴幫忙梳妝打扮，而此時小黃鶯也正好在窗外啼囀。半天纔將梳妝盒打開，對鏡顧影卻嫌自己病容憔悴，美麗不再。

又

春雲吹散湘簾雨，絮黏蝴蝶飛還住。人在玉樓中，樓高四面風。

柳煙絲一把，暝色籠鴛瓦。休近小闌干，夕陽無限山。

詞解 春日的天空，雲朵被風吹散，竹簾隨風輕擺，柳絮同蝴蝶一起飛舞。寂寞的人兒在高樓之上，迎風佇立。柳條已然如絲，暮色籠罩著屋頂成對的鴛鴦瓦。孤單的人啊，不要接近那樓邊的欄杆，夕陽下不見征人歸來，衹能看到綿延無盡的山巒，徒增傷感！

又 回文

客中愁損催寒夕，夕寒催損愁中客。門掩月黃昏，昏黃月掩門。

翠衾孤擁醉，醉擁孤衾翠。醒莫更多情，情多更莫醒。

詞解 這首詞爲回文詞，表現了寂寞凄清的離愁別恨和幽幽的相思之情。

詞評 這是一闋回文詞，每句都顛倒可誦，一句化爲兩句，兩兩成義有韻。回文作爲詩詞的一種別體，歷來不乏作者，但要做到字句回旋往返，屈曲成文，並不是容易的事。有些人把這當作文字遊戲，不免因詞害義，以至文理凝澀，牽強難通，結果是欲顯聰明，反而給人以捉襟見肘的感覺。容若此作雖然並無特別值得稱頌之處，但清新流暢，運筆自如，在同類作品中自屬佼佼者，故錄之以備一格。

——盛冬鈴《納蘭性德詞選》

又 回文

砑箋銀粉殘煤畫，畫煤殘粉銀箋砑。清夜一燈明，明燈一夜清。　片花驚宿燕，燕宿驚花片。親自夢歸人，人歸夢自親。

詞解　這首詞亦爲回文詞，表現了一種百無聊賴、寂寞淒清以及相思離愁的心情。

又

飄蓬祇逐驚飈轉，行人過盡煙光遠。立馬認河流，茂陵風雨秋。　寂寥行殿鎖，梵唄琉璃火。塞雁與宮鴉，山深日易斜。

詞解　這首詞爲過明皇陵的感懷之作：飄蕩的飛蓬祇隨著狂風飛轉，

一路上杳無人煙。停下馬來認清地貌，纔發現來到了深秋荒涼的茂陵。寄宿山寺，看那曾經的行宮如今被寂寞鎖起，聽到琉璃燈下傳來誦經的聲音。在這塞雁與宮鴉齊聚的深山裏，黃昏很快籠罩了大地，不勝蒼茫。

又 過張見陽山居，賦贈

車塵馬跡紛如織，羨君築處真幽僻。柹葉一林紅，蕭蕭四面風。　功名應看鏡，明月秋河影。安得此山間，與君高臥閑。

詞解　這首詞表達對張見陽山居的羨慕和自己想歸隱山林的願望：自己身在繁華中，門前車塵馬跡來來去去喧鬧至極，而你幽居山間，實在令人羨慕。面對一片殷紅的柹葉，享受四面的蕭蕭來風。功名利祿之事無非是鏡中之月、河中之影，轉眼即成泡影。什麼時候纔能跟你一樣在這山間隱居，與你一起高臥於這深山之中，那該有多好。

減字木蘭花 新月

晚妝欲罷，更把纖眉臨鏡畫。準待分明，和雨和煙兩不勝。　莫教星替，守取團圓終必遂。此夜紅樓，天上人間一樣愁。

詞解　此詞藉女子梳晚妝抒發閑愁：晚妝將畢，臨鏡描畫纖纖的眉毛。天邊那一彎新月被無盡的煙雨遮掩，不甚分明。上闋以人擬物入手，摹畫出新月的形貌，繼而寫月色不明，爲下闋作了鋪墊。物換星移，等待月圓的心願一定能夠實現。衹是這新月迷朦、紅樓閨怨，似是人月同愁了。

又

燭花搖影，冷透疏衾剛欲醒。待不思量，不許孤眠不斷腸。　茫茫碧落，天上人間情一諾。銀漢難通，穩耐風波願始從。

詞解　這首詞爲懷念亡妻之作：孤燈明滅，冷夜孤枕，欲睡還醒，不能思量，思量就會斷腸。天上人間，陰陽兩隔，即使一諾千金也換不回原來的生活。渴盼能夠相逢重聚，即使要忍耐著銀河裏的風波，也甘願從頭開始。

又

相逢不語，一朵芙蓉著秋雨。小暈紅潮，斜溜鬟心隻鳳翹。　待將低喚，直爲凝情恐人見。欲訴幽懷，轉過回闌叩玉釵。

詞解　這首詞描繪了一個少女多情可愛的形象：相見之時雲鬟都是這般嬌俏可愛，低頭不語時仿佛一朵嬌羞的芙蓉花一般可愛欲滴。害羞時臉上泛起紅暈，頭上斜插的鳳翹都是這般迷人。聽到有人輕喚，害怕別人發現自己的多情。想要吐露心聲，卻又百轉千回，欲說還休。

又

從教鐵石，每見花開成惜惜。淚點難消，滴損蒼煙玉一條。　憐伊太冷，添個紙窗疏竹影。記取相思，環佩歸來月上時。

詞解　這首詞爲詠月下梅花之作：每當梅花綻放，任憑怎樣的鐵石心腸也難以不動情。她那美麗迷人的風姿在月光下更加楚楚動人，像是滴淚的湘妃竹，望去若蒼煙一片。唯恐梅花獨自迎寒太過寒冷淒清，於是特意加了竹林來陪伴圍護。梅花有魂，記得我對她的相思，於是在今夜月上時歸來了。

又

斷魂無據，萬水千山何處去？沒個音書，盡日東風上綠除。　故

園春好，寄語落花須自掃。莫更傷春，同是懨懨多病人。

詞解 這首詞以夫婦書信對答的方式寫相思：上闋說斷魂飄乎不定，千山萬水到底漂向了哪裏？春風吹來，枝葉變綠了，而所思之人卻沒有音信。下闋說我知道家鄉現在一定春光正好，寫信告訴你，庭前的落花要你親自去打掃了。不要再去傷春了，你我都是病體懨懨的相思之人。

又

花叢冷眼，自惜尋春來較晚。知道今生，知道今生那見卿！天然絕代，不信相思渾不解。若解相思，定與韓憑共一枝。

詞解 想去看花，卻看到一派冷漠影像。纔知道現在纔來尋找春天為時已晚，纔知道今生你我相逢太晚。你是那樣天生麗質、芳華絕代，我不相信你對相思完全不解。你如果知道我的相思之苦，必定像韓憑之妻那樣，與我共結連理、比翼雙飛吧。

卜算子 新柳

嬌軟不勝垂，瘦怯那禁舞。多事年年二月風，翦出鵝黃縷。一種可憐生，落日和煙雨。蘇小門前長短條，即漸迷行處。

詞解 這首詞為吟詠新柳之作：弱柳嬌美輕柔，不勝東風。二月春風竟也如此多事，將柳枝吹成了鵝黃色的絲條。新柳嬌軟可愛，再加上落日餘暉和如煙細雨，怎不叫人心生憐愛。想必才情出衆的蘇小小門前的柳條也已經漸迷人眼，萬縷成蔭了吧。

又 塞夢

塞草晚纔青，日落簫笳動。慽慽淒淒入夜分，催度星前夢。小語綠楊煙，怯踏銀河凍。行盡關山到白狼，相見唯珍重。

詞解 這首詞寫作者身在塞上而念懷家園的情感：衰草連天、夕陽西下，簫笳之聲響起。那哀怨淒楚的聲音響徹寒夜，催人入夢。夢中我又回到了故園，在綠楊蔭裏與你竊竊私語，而你也不畏天寒路遠，歷盡關山來到白狼河畔，與我相見相慰，互道一聲珍重。

又 午日

村靜午雞啼，綠暗新陰覆。一展輕簾出畫墻，道是端陽酒。早

梁啓超眼界大而感慨深

晚夕陽蟬，又噪長堤柳。青鬢長青自古誰，彈指黃花九。

詞解 這首詞寫端午節的鄉村小鎮之景：寂靜的小鄉村裏，祇聽到午後的幾聲雞鳴，這裏春意盎然，綠樹已然成蔭。掀起竹簾，走出門來，說是要一起暢飲端午之酒。蟬聲不知何時又在長堤上的柳枝響起，而且晨昏不停。自古以來又有誰能青春常駐呢，時光如此匆匆，轉眼已經到了重陽時節。

采桑子

彤霞久絕飛瓊字，人在誰邊？人在誰邊？今夜玉清眠不眠？ 香銷被冷殘燈滅，靜數秋天。靜數秋天，又誤心期到下弦。

詞解 熱切地盼望能得到她的消息，她卻音信杳然。她如今在哪裏呢？到底在哪裏呢？今夜她是否也在相思徘徊，不能成眠？香銷被冷燈滅，令人增愁添恨，唯有在這寂靜的夜裏一遍遍默數著與她相逢的日期。然而相約之期已過，會面無期，怎不叫人愁苦怨尤呢！

又

誰翻樂府淒涼曲，風也蕭蕭，雨也蕭蕭，瘦盡燈花又一宵。 不知何事縈懷抱，醒也無聊，醉也無聊，夢也何曾到謝橋。

詞解 這是一首愛情詞，抒寫對情人的深深懷念：是誰在翻唱著那淒涼幽怨的樂曲，伴著這蕭蕭雨夜，聽著這風聲、雨聲，望著燈花一點一點地燒盡，讓人寂寞難耐、徹夜不眠。在這不眠之夜，不知道是什麼事情縈繞在心頭，讓人或睡或醒都如此無聊，夢中追求的歡樂也完全幻滅了。

詞評 這詞表現一種莫名其妙的心情，詩人在風雨中聽到淒涼的曲調，不知怎的，變得坐立不安，寂寞、淒涼、失望、空虛的情緒，籠罩著他的心頭。他患的是時代的憂鬱癥。

——黃天驥《納蘭性德和他的詞》

又

嚴霜擁絮頻驚起，撲面霜空。斜漢朦朧，冷逼氈帷火不紅。 香篝翠被渾閑事，回首西風。何處疏鐘，一穗燈花似夢中。

塞外苦寒處

詞解 這首詞寫塞外的苦寒、孤寂：霜氣捲揚著雪花陣陣飛起，撲面而來的是冬日寒冷的天空。天空的銀河迷濛昏惑、模糊不清，寒氣襲來，連帳篷中的爐火都不再暖和。在家中時那熏香繚繞枕衾溫暖的往事，眞是讓人不堪回首。面對「一穗燈花」，耳邊幾許「疏鐘」，一切都好似在夢中一般。

又

冷香縈遍紅橋夢，夢覺城笳。月上桃花，雨歇春寒燕子家。 箜篌別後誰能鼓，腸斷天涯。暗損韶華，一縷茶煙透碧紗。

詞解 這首詞旨在傷離念遠：夢中與她相會在紅橋之上，那時清香彌漫，忽而夢醒，聽到的卻是城頭傳來的胡笳嗚咽的悲鳴。家中月光照在桃花枝上，灑下一片疏影，猶是風雨初歇，春寒料峭。自從離別之後，斷腸人如今已在天涯之外了，誰會再來彈奏箜篌呢？美好的青春年華就這樣暗暗地消耗，就像那一縷輕煙透過碧紗一般讓人難以覺察。

又　詠春雨

嫩煙分染鵝兒柳，一樣風絲。似整如欹，纔著春寒瘦不支。　涼侵曉夢輕蟬膩，約略紅肥。不惜葳蕤，碾取名香作地衣。

詞解　這首詞寫春雨，藉雨中物象去吟詠：春雨落在泛起鵝黃色的柳枝上，弱柳似煙若霧，仿佛是空中飄灑著遊絲一般。春雨濛濛中，它的枝條又好像是歪斜的雨絲，時整時偏。春雨涼意襲人，堪破曉夢，令人懊惱，雨後的鮮花應該更加嬌俏明豔了吧。又或者雨落花殘，殘花滿地，好似用花瓣鋪成了地毯。

又　塞上詠雪花

非關癖愛輕模樣，冷處偏佳。別有根芽，不是人間富貴花。　謝娘別後誰能惜？飄泊天涯。寒月悲笳，萬里西風瀚海沙。

詞解　這是一首詠雪詞：我並不是偏愛雪花輕舞飛揚的姿態，也不是因爲它越寒冷越美麗，而是因它有人間富貴之花不可比擬的高潔之姿。謝娘故去之後還有誰真的瞭解它、憐惜它呢？它在天涯飄蕩，看盡冷月，聽遍胡笳，感受到的是西風遍吹黃沙的悲涼。

詞人逸事　納蘭性德從一六七八年到一六八四年每年有很多時間隨康熙出巡或奉使在外，這首詞便是他陪同康熙出巡塞外時所作。宦海生涯使他深諳皇室內幕，多次出巡又使他得到體察民情的機會。所以他雖然出身於富貴之家，生活在朱邸紅樓中，作爲貴冑公子、皇帝近臣的八旗子弟，身上卻沒有紈絝習氣，視勢利似塵埃，視功名如糟粕。他藉詠雪道出自己「不是人間富貴花」的感慨，道出了卓爾不群的高潔情操，同時抒發了不慕人世間榮華富貴，厭棄仕宦生涯的心情。

又

桃花羞作無情死，感激東風。吹落嬌紅，飛入窗間伴懊儂。　誰憐辛苦東陽瘦，也爲春慵。不及芙蓉，一片幽情冷處濃。

詞解　這是一首傷春傷離之作：桃花並非無情地死去，在這春闌花殘之際，艷麗的桃花被東風吹落，飛入窗櫺，陪伴著傷情的人共度殘留的春光。有誰來憐惜我這像沈約般飄零殆盡、日漸消瘦的身影，爲春殘而懊惱，感到慵懶無聊。雖比不上芙蓉花，但它的一片幽香在清冷處卻顯得更加濃重。

詞人逸事 詞中的「東陽瘦」用的是南朝沈約的典故，納蘭性德以沈約自況，形容自己像沈約一樣病容憔悴、抑鬱多疾。

沈約，字休文，吳興武康人，南朝齊、梁時期著名的詩人。他對近體詩諧韻的發展作出了巨大貢獻，他和當時著名詩人謝朓開創了在詩歌發展歷史上值得一書的著名詩體「永明體」，是近體詩派的先聲。

公元五○三年，蕭衍逼迫齊和帝禪位，改國號爲梁，這就是歷史上著名的僧侶皇帝梁武帝。沈約在滅齊的過程中立功，被任命爲尚書僕射，受到武帝的寵信。公元五一三年，這位詩壇的一代宗師憂懼辭世。死後，被武帝謚爲「隱」，世稱沈隱侯。

沈約在一次書信中談到自己日漸清減，腰圍瘦損，此事便成爲了一個典故，習見的用法是「沈腰」或「沈郎腰」。唐朝初期，著名的史學家姚思廉和他的父親姚察在所著的史籍《梁書·沈約傳》中，高度讚譽了他

的人品和文品，評價他「高才博洽，一代英偉」。姚思廉在《梁書·沈約傳》中記載：「沈約，永明末出守東陽……百日數旬革帶常應移孔，以手握臂率計月小半分。」沈約操勞過度，日漸消瘦後，被世人以「東陽銷瘦」「東陽瘦體」稱之，形容其體瘦。

又

撥燈書盡紅箋也，依舊無聊。玉漏迢迢，夢裏寒花隔玉簫。幾竿修竹三更雨，葉葉蕭蕭。分付秋潮，莫誤雙魚到謝橋。

詞解 在燈下給你寫信，即使寫滿了信紙仍是意猶未盡，心裏依舊惆悵無聊。偏又漏聲迢迢相伴，不但添加愁緒，而且令人如醉如痴，仿佛在夢中與她相見，卻又朦朦朧朧不甚分明。室外秋雨敲竹，滴在樹葉上，點點聲聲，淅淅瀝瀝，將這孤獨寂寞的苦情都付與此時的秋聲秋雨中，不要忘了將書信寄給她纔好。

又

涼生露氣湘絃潤，暗滴花梢。簾影誰摇，燕蹴風絲上柳條。舞

鵾鏡匣開頻掩，檀粉慵調。朝淚如潮，昨夜香衾覺夢遙。

詞解 這首詞寫閨中女子的情態：夜來涼生，露氣浸潤了琴瑟，露珠滴在了花瓣上。簾外疏影搖搖，原來是小燕子乘著微微細風飛上了柳枝。對鏡理妝，自憐自傷，鏡匣頻開頻掩。倦於梳妝，連香粉都懶得勻調。清晨醒來，想起昨夜美夢成空，怎不叫人傷情，不覺淚水就如潮水般襲來。

又

土花曾染湘娥黛，鉛淚難消。清韻誰敲，不是犀椎是鳳翹。 祇應長伴端溪紫，割取秋潮。鸚鵡偷教，方響前頭見玉簫。

詞解 這首詞寫一段深隱的戀情：斑痕纍纍的湘妃竹，青青如黛，竹身長滿了苔蘚，晶瑩的淚水難以消除。清韻聲聲，那不是誰在用犀槌敲擊樂器，而是她頭上的鳳翹觸碰到了青竹，從而發出清雅和諧的響聲。秋色撩人，秋意無限，應該將這些用端硯寫成詩篇。將相思之語偷偷教給鸚鵡，當與她相逢又難以相親時，鸚鵡或許可傳遞心聲了。

又

謝家庭院殘更立，燕宿雕梁。月度銀墻，不辨花叢那辨香。 此情已自成追憶，零落鴛鴦。雨歇微涼，十一年前夢一場。

詞解 這是一首愛情詞：殘更冷夜獨自佇立在你家的庭院裏，看著燕子雙宿雙棲在畫梁之上。月光灑下來，照在白色的牆壁上，清輝之下分辨不清園中的鮮花。物是人非，此情此景也祇能成爲回憶，你我從此勞燕分飛，天各一方。這新雨過後的夜裏透著絲絲涼意，你我之間的相依相戀如同十一年前的一場夢一樣，不堪回首。

詞評 後之讀此詞者，無不疑及與悼亡有關，並引以推證其悼亡年月。余近讀梁汾《彈指詞》有和前韻一首，詞云：「分明抹麗開時候，琴靜東廂。天樣紅牆，衹隔花枝不隔香。檀痕約枕雙心字，睡損鴛鴦。孤負新涼，淡月疏櫺夢一場。」觀上二首，詠事則一，句意又多相似，如謂容若詞爲悼亡妻作，則閨閣中事，豈梁汾所得而言之。

——張任政《飲水詞·叢錄》

又

而今纔道當時錯，心緒淒迷。紅淚偷垂，滿眼春風百事非。　情知此後來無計，強說歡期。一別如斯，落盡梨花月又西。

詞解　這首詞抒寫詞人淒迷的心緒：如今纔知道當時是自己錯了，不覺心緒淒迷。春光燦爛，人事全非，怎不叫人暗自垂淚。明知道以後的事情難以預料，卻偏偏硬說可以再次歡聚。一別之後果然遙遙無期，如今梨花又落盡了，月亮也已偏西，相思的人唯有在這痛苦中飽受煎熬。

又

明月多情應笑我，笑我如今，辜負春心，獨自閑行獨自吟。　近來怕說當時事，結遍蘭襟。月淺燈深，夢裏雲歸何處尋。

詞解　這首詞是懷友之作：明月如果有感情，一定會笑我，笑我到現在都春心未結，獨自在這春色中徘徊沉吟。最近很怕說起當年的那些往事，當時高朋滿座，彼此惺惺相惜。如今月夜幽獨寂寞，衹有在夢裏尋找往日的美好時光！

又

那能寂寞芳菲節，欲話生平。夜已三更，一闋悲歌淚暗零。　須知秋葉春花促，點鬢星星。遇酒須傾，莫問千秋萬歲名。

詞解　這首詞抒發人生無常的感慨：芳菲開遍的時節，年復一年地這樣度過，怎能不寂寥落寞，想要話說平生，已經是三更時分，聽一曲悲歌，流數行清淚。春花秋葉，年復一年地催促著人由少到老，除了徒增白髮之外，了無生趣。千秋萬歲的浮名也衹不過是一場春夢，不如一醉方休，了無牽掛的好。

又　九日

深秋絕塞誰相憶，木葉蕭蕭。鄉路迢迢，六曲屏山和夢遙。　佳時倍惜風光別，不爲登高。只覺魂銷。南雁歸時更寂寥。

詞解　這首詞是佳節塞外思親之作：在這深秋的遙遠邊塞，有誰在記掛著我呢？落葉紛紛，鄉路渺渺，歸期無日，衹有在睡夢中纔能回到故里。重陽佳節，故園正是風光美好時，想到這些，就更增離愁別緒。想到這些祇覺得黯然銷魂，看大雁南歸時更覺寂寞寥落。

又

海天誰放冰輪滿，惆悵離情。莫說離情，但值涼宵總淚零。只應碧落重相見，那是今生。可奈今生，剛作愁時又憶卿。

詞解　這首詞是懷念亡妻之作：在這碧海雲天之間是誰讓這月亮又圓滿了呢？對著這當空的明月怎不讓人離情驟生，惆悵滿懷？不要再說這離情了，說它祇會讓人在這良宵傷心落淚。想象今生能與你在天上重見，可是又轉念，那豈是今生可得？於是祇好回到現實中在愁苦中想念你。

又

白衣裳憑朱闌立，涼月趖西。點鬢霜微，歲晏知君歸不歸？殘更目斷傳書雁，尺素還稀。一味相思，準擬相看似舊時。

詞解　這首詞抒寫相思：身穿一襲白衣憑欄而立，看那秋月已經偏西了。兩鬢已經斑白，卻不知道你年末的時候能不能回來。日夜盼望著你的消息，可是這書信卻如此稀少。祇是一味的相思，希望能夠像以前那樣時時相見。

采桑子　居庸關

巂周聲裏嚴關峙，匹馬登登，亂踏黃塵。聽報郵籤第幾程。行人莫話前朝事，風雨諸陵。寂寞魚燈，天壽山頭冷月橫。

詞解　這首詞抒寫歷史的沉思和幽怨：車聲隆隆中越過了山巒對峙、地勢險峻的雄關。遠處傳來登登的馬蹄聲，一路狂奔激起滿地黃塵，不知道現在已經是幾更天了。路過飽受淒風冷雨的荒蕪皇陵，征人不要再提前朝的往事。你沒看見那寂寞的魚燈與蒼涼的天壽山上的冷月正遙相輝映嗎？盛衰興亡祇在彈指之間啊！

謁金門

風絲裊，水浸碧天清曉。一鏡濕雲青未了，雨晴春草草。夢裏輕螺誰掃，簾外落花紅小。獨睡起來情悄悄，寄愁何處好。

詞解　這首詞以樂景寫哀情，凸顯了傷春意緒：柔風細細，水面上映出一望無際的雲朵。雨過天晴後，這春色反而令人增添愁怨。夢中曾與伊人相守，輕輕地爲你描畫眉毛。夢醒則唯見簾外落花，這一懷愁緒該向何處排解呢？

好事近

簾外五更風，消受曉寒時節。剛剩秋衾一半，擁透簾殘月。　爭教清淚不成冰？好處便輕別。擬把傷離情緒，待曉寒重說。

詞解　這首詞寫與妻子乍離之後的傷感：竹簾之外傳來五更的寒風，在這清秋寒冷的早晨實在讓人難以消受。獨自孤眠，秋夜冷冰冰的被子因多出了一半，而曉寒難耐，於是擁被對著簾外的殘月。怎教清淚不長流呢？淚流至結成冰，如此的哀傷，最好的方法就是不把離別之事放在心上。這離愁別緒待到天亮以後再去想吧。

又

馬首望青山，零落繁華如此。再向斷煙衰草，認蘚碑題字。　休尋折戟話當年，只灑悲秋淚。斜日十三陵下，過新豐獵騎。

詞解　這首詞描繪在北京十三陵的秋獵：越過馬頭向前望去，眼前是一脈青山，都市的繁華不見了，這裏衹有蕭索冷落的景象。看向被衰草掩蓋的石碑，可以辨認出長滿苔鮮的古碑上的題字。不要尋思那古往今來興亡之事，就是眼前的秋色便已令人生悲添慨了。夕陽西下，在這十三陵中打獵的人原來也是從京城過來的啊。

又

何路向家園，歷歷殘山剩水。都把一春冷淡，到麥秋天氣。　料應重發隔年花，莫問花前事。縱使東風依舊，怕紅顏不似。

詞解　這首詞抒發與妻子的別離、相思之苦：哪一條纔是通往家園的路呢？眼前的一片都是零落的殘山剩水而已。春天過去了，已經到了麥收時節，又一次將大好的春光冷落。料想去年的花今年又開了吧，而花前月下的舊事卻不敢回味。即使景色如故，也已是年華老去，紅顏不再了吧。

一絡索　長城

野火拂雲微綠，西風夜哭。蒼茫雁翅列秋空，憶寫向屏山曲。　山

海幾經翻覆。女墻斜矗。看來費盡祖龍心，畢竟爲誰家筑？

詞解　這首詞爲懷古之作，體現了「風人」之旨：大漠荒野之夜，磷火綠光閃閃，好像與天上的雲朵連到了一起，西風獵獵，仿佛鬼神夜哭。秋天蒼茫的天空裏飛過一行行征雁，想要飛過連綿起伏的長城。滄海桑田幾經變化，那城牆依然矗立在那裏。看來秦始皇是白費心機了，那萬里長城究竟是爲誰家所建造的呢？

又

過盡遥山如畫，短衣匹馬。蕭蕭木落不勝秋，莫回首斜陽下。　別是柔腸縈掛，待歸才罷。卻愁擁髻向燈前，說不盡離人話。

詞解　這首詞寫征途之上和閨閣之中的景色與情思：穿短衣，乘駿馬，在外之人奔馳在征途上。不要在夕陽西下時回首悵惘，那落葉紛飛的景象衹能讓人徒增悲涼。無盡的牽掛衹有待到行人歸來，纔能消除吧。而對燈夜話之時，述說著別離之苦反倒使人生愁增恨。

洛陽春

密灑征鞍無數，冥迷遠樹。亂山重疊杳難分，似五里濛濛霧。　惆悵瑣窗深處，濕花輕絮。當時悠颺得人憐，也都是濃香助。

詞解　這首詞爲詠雪之作：馬背上落滿密灑的白雪，遠處樹木冥迷，亂山杳渺，不甚分明，仿佛一切都置於濛濛霧中。雪花飄入了窗櫺，好像是濕花柳絮，又勾起了無限感懷。那紛飄的雪花之所以惹人憐愛，除了它那輕盈的體態之外，還由於它得到了濃郁芳香的暗助。

清平樂　發漢兒村題壁

參橫月落，客緒從誰託。望裏家山雲漠漠，似有紅樓一角。　不如意事年年，消磨絕塞風煙。輸與五陵公子，此時夢繞花前。

詞解　這首詞抒發相思、直抒胸臆：月亮已落，參星橫斜，夜已深了，這離愁別緒要向誰訴說？回望故鄉衹看到白雲漠漠，無邊無際，但那雲中似乎又露出了家中的一角閣樓。人生不如意的事年年都有，全都消磨在了這邊塞的風煙當中了。不如那些閑遊於京城的富豪公子，此時正吟花賞月好不愜意！

又

麝煙深漾，人擁緱笙氅。新恨暗隨新月長，不辨眉尖心上。　六花斜撲疏簾，地衣紅錦輕霑。記取暖香如夢，耐他一晌寒嚴。

詞解　這首詞抒寫相思愁懷：麝香發出的煙在空中搖蕩，孤獨的人擁衣而眠，卻無法入睡。心中的愁苦與日俱增，已經分不清是在眉尖還是在心頭。雪花撲打著窗簾，地毯上霑上了些許白色。猶記得我們當時共度的美好時光，如今且用這美好的回憶來驅散嚴寒。

又

煙輕雨小，望裏青難了。一縷斷虹垂樹杪，又是亂山殘照。　憑高目斷征途，暮雲千里平蕪。日夜河流東下，錦書應託雙魚。

詞解　這首詞是於塞上寫離情：煙雨迷濛，放眼望去滿眼青色，沒有盡頭。又到了夕陽落入群山的時候，樹梢上掛著一段綵虹。登高遠眺，望斷征途，衹看到一片暮雲停駐於千里曠野。河水晝夜不停地向東流去，就像我對你的思念之情，於是將這一份相思之苦託於雙魚爲你寄來。

又

青陵蝶夢，倒掛憐麼鳳。退粉收香情一種，棲傍玉釵偷共。　悄悄鏡閣飛蛾，誰傳錦字秋河？蓮子依然隱霧，菱花暗惜橫波。

詞解　這首詞表達對亡妻的懷念：你我天上人間，人神兩隔，而那可愛的鸚鵡仍在架上。你雖然已經逝去，但是你我的情義卻未消滅，偷偷地拿著你留下的遺物以期得到慰藉。閣中寂寂，衹有飛蛾相伴，還有誰再寄來書信呢？當初你憐我愛志存高遠、待時而起的深意如今我依然記得，而現在我衹有對鏡暗自傷情，又仿佛看到了你那一雙美麗動人的眼睛。

又

將愁不去，秋色行難住。六曲屏山深院宇，日日風風雨雨。　雨晴籬菊初香，人言此日重陽。回首涼雲暮葉，黃昏無限思量。

詞解 這首詞是重陽節的感懷之作：綿綿清愁揮之不去，無盡的秋色也難以留住。屛風掩映下那深深的庭院，整日愁風冷雨，不曾停歇。好不容易天晴了，菊花吐露出芬芳，聽說今天正是重陽節。回望天邊那陰雲和暮色中的樹葉，不由產生無限的思緒。

又

淒淒切切，慘淡黃花節。夢裏砧聲渾未歇，那更亂蛩悲咽。塵生燕子空樓，拋殘絃索牀頭。一樣曉風殘月，而今觸緒添愁。

詞解 這首詞是一首觸景傷情之作：在這慘淡的深秋之時，一切都變得淒淒切切，無限悲涼。那夢裏的砧杵擣衣聲還沒停下來，又傳來蟋蟀嘈雜的悲鳴聲。你曾居住的樓空空蕩蕩，絃索拋殘，曉風殘月，無不是慘淡淒絕，如今一起湧入眼簾，觸動無限清愁。

又 憶梁汾

纔聽夜雨，便覺秋如許。遶砌蛩螿人不語，有夢轉愁無

靜夜相思

據。

亂山千疊橫江，憶君遊倦何方。知否小窗紅燭，照人此夜淒涼。

詞解 這首詞是秋夜念友之作，抒發對好友顧貞觀深切的懷念：剛剛聽到窗外的雨聲，就已感覺到秋意已濃。是那蟋蟀和寒蟬的悲鳴聲，讓人在夢裏產生無限哀怨的嗎？亂山一片橫陳江上，你如今漂泊在哪裏呢？是否知道有人在小窗紅燭之下，因爲思念你而倍感淒涼？

詞人逸事 顧貞觀是江蘇無錫人，其曾祖顧憲成是晚明東林黨人的領袖，可謂真正的書香門第。顧貞觀的才情和文化素養也自然與衆不同，是當時很有名氣的江南文士。康熙十五年（一六七六）的春夏間，他與納蘭性德相識，成爲交契篤深的摯友。或許是氣質的相互吸引，或許是才情的彼此契合，兩人第一次相見，便有「一見即恨識余之晚」之感，相見甚歡，相談甚多，彼此引爲知己。而在詞壇的成就兩人同樣齊名，舉凡清史、文學史、詞史無不將二人相提並論，將其視爲風格近似、主張相同的詞壇雙璧。

又

塞鴻去矣，錦字何時寄。記得燈前佯忍淚，卻問明朝行未。　別來幾度如珪，飄零落葉成堆。一種曉寒殘夢，淒涼畢竟因誰。

詞解 這首詞是塞上怨離之作：自從離別之後，日日盼望的家書何時纔能到來？記得我臨走之時，你在燈前強忍著淚水，卻問我明天是否出發。分別之後，月亮已經幾度圓缺，如今已是深秋，落葉成堆。殘夢淒涼，孤獨難耐，相思怨別，這一切究竟是爲了誰？

又

風鬟雨鬢，偏是來無準。倦倚玉闌看月暈，容易語低香近。　軟風吹遍窗紗，心期便隔天涯。從此傷春傷別，黃昏祇對梨花。

詞解 記得舊時相約，你總是不能如約而至。曾與你倚靠著欄杆在一起閑看月暈，軟語溫存，情意纏綿，那可人的縷縷香氣更是令人銷魂。如今與你遠隔天涯，縱使期許相見，那也是可望而不可即了。從此以後便獨自淒清冷落、孤獨難耐，面對黃昏、梨花而傷春傷別。

又

涼雲萬葉，斷送清秋節。寂寂繡屏香篆滅，暗裏朱顏消歇。　誰憐照影吹笙，天涯芳草關情。懊惱隔簾幽夢，半牀花月縱橫。

詞解　這首詞寫清秋懊惱的情懷：孤單的花朵和零碎的葉子，就這樣將清秋時節送走了。寂靜的閨閣之中，篆香已經燃盡，美麗的容顏因悲秋而消瘦。誰能瞭解那對影獨酌的感受，那天涯無邊的芳草總能牽動人的情懷？幽夢難成，空對半牀花月之景，怎不叫人懊惱神傷！

又　彈琴峽題壁

泠泠徹夜，誰是知音者。如夢前朝何處也，一曲邊愁難寫。　極天關塞雲中，人隨落雁西風。喚取紅襟翠袖，莫教淚灑英雄。

詞解　這首詞抒發了關塞行役之愁：水聲清幽悅耳，徹夜回蕩，但誰又是它的知音呢？前朝如夢，邊愁難寫。極目望去，天邊的雲中，征人與征雁同行於秋風之中。如此悲涼之景，讓人不禁傷懷，祇好喚來歌女消愁，不要讓英雄熱淚輕易落下。

又　上元月蝕

瑤華映闕，烘散蓂墀雪。比似尋常清景別，第一團圓時節。　影娥忽泛初絃，分輝藉與宮蓮。七寶修成合璧，重輪歲歲中天。

詞解　這首詞全用白描寫月食，前後八句，寫了月食的全過程及其不同的景象：上闋前一句描繪了月全食時所見的景象，入蝕之月仿佛是光綵照人的美玉一般，生長著瑞草的殿階上，呈現出潔白一片的景象。景象與往年相比，更富朦朧感、夢幻感，可謂是第一團圓之節。下闋寫月出蝕之情景，前兩句寫月蝕漸出，猶如初絃夜之景，後兩句寫蝕出復圓，清輝灑滿天上人間。

又

角聲哀咽，襆被馱殘月。過去華年如電掣，禁得番番離別。　一鞭衝破黃埃，亂山影裏徘徊。驀憶去年今日，十三陵下歸來。

詞解 這首詞抒發行役傷離之意：日復一日地在嗚咽的哀角聲中度過，馬背馱著行囊在殘月下行進。時光風馳電掣地飛逝，哪裏經得起頻頻的別離？黃昏日暮，一抹斜陽照在滾滾黃塵上，重重山影，匆匆行人。驀然想起去年今日，我正從十三陵歸來的情景。

又

畫屏無睡，雨點驚風碎。貪話零星蘭焰墜，閑了半牀紅被。
生來柳絮飄零，便教咒也無靈。待問歸期還未，已看雙睫盈盈。

詞解 這首詞追憶了與妻子離別時的情景：別前之夜對著畫屏，雙雙不寐，夜雨交織著寒風，蕭蕭瑟瑟。離別絮語綿綿，燈花零星墜落，紅被空閑。可惜生來命運不濟，如柳絮般隨波逐流、身不由己，即使怎樣賭咒發誓也沒有用，分離終是在所難免。你本欲問歸期，卻含情脈脈、欲說還休，那兩眼已經濕潤的模樣依舊縈繞心頭。

憶秦娥 龍潭口

山重疊，懸崖一綫天疑裂。天疑裂，斷碑題字，古苔橫嚙。 風聲雷動鳴金鐵，陰森潭底蛟龍窟。蛟龍窟，興亡滿眼，舊時明月。

詞解 這首詞寫龍潭口的景致及自己的感受：龍潭口群山環繞，舉目望去，天空衹露一綫，彷佛是天幕要裂開了。斷碑上長滿了蒼苔，那蒼苔好像在啃咬著碑文。龍潭口處如同風雷大作，發出了如同金鉦戈矛撞擊般的巨大聲響，那陰森的潭底正是蛟龍的洞府吧。舊時的明月仍在，叫人昇起無限悵惘之情、興亡之歎！

詞人逸事 納蘭性德曾扈駕到西山黑龍潭，據說這裏石色青黑，樹木蕭森，蔭濃苔滑。泉水從深潭底冒出，水勢較旺。周圍的山林於背陰處更高大繁茂，因爲谷中土厚，陰處含水，不似向陽坡上風大乾燥。而潭口處黛色石崖下會讓人有山岩開裂、潭深難測之感。這股泉水屬於石灰岩地區溶洞、裂隙中的暗河涌出，水量較大，傳說東海龍王的七子於此潛居。清代時這裏一度由皇家敕建黑龍王廟。納蘭性德遊歷至此，觀其情其景，爲其震撼，大發興亡之歎。

又

春深淺，一痕搖漾青如翦。青如翦，鷺鷥立處，煙蕪平遠。吹開吹謝東風倦，緗桃自惜紅顏變。紅顏變，兔葵燕麥，重來相見。

詞解　這首詞用劉禹錫玄都觀詩之典暗喻了今昔之感：春已深，春水搖蕩著，岸邊露出整齊的青綠色的漲水痕跡。那正是鷺鷥站立的地方，煙霧中草地一片淒迷，看不到盡頭。東風吹來，將百花吹開，又將百花吹謝，桃花在這春風中感受著紅顏的漸變。紅顏將老，眼前這淒涼的景色誰又重來相看呢！

詞人逸事　唐代文豪劉禹錫因參與王叔文、柳宗元等人的革新運動被貶郎州司馬。十年後，被朝廷「以恩召還」，回到長安。這年春天，他去京郊玄都觀賞桃花，寫下了《玄都觀桃花》：「紫陌紅塵拂面來，無人不道看花回。玄都觀裏桃千樹，盡是劉郎去後栽！」用以諷刺那些暫時得勢的奸佞小人。這首詩引起很多人的不滿，於是他又因「語涉譏刺」而再度遭貶，一去就是十二年。十二年後，詩人再遊玄都觀，寫下了《再遊玄都觀》：「百畝庭中半是苔，桃花凈盡菜花開。種桃道士歸何處？前度劉郎今又來。」不改初衷，依然如故，「前度劉郎今又來」的不懈鬭爭精神，一直爲後人敬佩。

納蘭性德化用劉禹錫玄都觀詩的典實寫了這首《憶秦娥》，卻沒有了劉禹錫的鬭志，而是通過花開花落，世事變遷，暗透了今昔之感和不勝身世的孤獨之情。

又

長飄泊，多愁多病心情惡。心情惡，模糊一片，強分哀樂。擬將歡笑排離索，鏡中無奈顏非昨。顏非昨，才華尚淺，因何福薄？

詞解　這首詞感慨自己的人生：長年飄泊在外，又加上這多愁多病之身，心情怎麽能好呢。喜怒哀樂都分辨不清了，所有的感受交織在一起，模糊不清。想要排遣這離群索居的落寞而強顏歡笑，無奈鏡中的容顏已逐漸衰敗，今非昔比了。奈何日月蹉跎，人生易老，唯有自歎福薄！

醉桃源

斜風細雨正霏霏，畫簾拖地垂。屏山幾曲篆煙微，閑庭柳絮飛。

新綠密，亂紅稀，乳鶯殘日啼。餘寒欲透縷金衣，落花郎未歸。

詞解　這首詞表達的是傷春傷別的愁情：斜風輕拂，細雨霏霏，畫簾垂地。屏風曲回，香煙裊裊，閑庭飛絮。花紅柳綠，乳鶯啼晚，四處一片春意。春寒料峭，涼透錦衣，春意闌珊之時，爲何你還沒有歸來！

畫堂春

一生一代一雙人，爭教兩處銷魂。相思相望不相親，天爲誰春？

漿向藍橋易乞，藥成碧海難奔。若容相訪飲牛津，相對忘貧。

詞解　這是一首愛情詞，是詞人對可遇不可求的戀情的獨白：既然我們是天生一對，爲何又讓我們天各一方，兩處銷魂呢？相思相望卻不能相親相愛，那麼這春天又是爲誰而設呢？藍橋之遇並非難事，難的是縱有不死之靈藥，卻難像嫦娥那樣飛入月宮去與你相會。若能渡過迢迢銀河與你相聚，便是做一對貧賤夫婦，我也心滿意足了。

詞評　以爲此戀人爲「入宮女子」，「漿向藍橋易乞」似說戀人未入宮前結爲夫婦是很容易的；「藥成碧海」則用李義山詩，似說戀人入宮，等於嫦娥奔月，便難再回人間；李義山身入離宮與宮嬪戀愛，有《海客》一絕，納蘭容若與入宮戀人相會，也用此典，居然與李義山暗合。

——蘇雪林《清代男女兩大詞人戀史之謎》

眼兒媚

獨倚春寒掩夕扉，清露泣銖衣。玉簫吹夢，金釵畫影，悔不同攜。

刻殘紅燭曾相待，舊事總依稀。料應遺恨，月中教去，花底催歸。

詞解　這首詞抒寫對戀人的思念：獨自佇立在春天傍晚的霧靄之中，細雨將衣服打濕。夢裏都是你美麗的身影，那些相攜相伴的美好時光卻偏偏失掉了，怎不叫人懊悔？夜已深沉，曾經秉燭相待，如今往事依稀。想必會終生遺憾，花前月下的往事，已經一去不回。

又

重見星娥碧海槎，忍笑卻盤鴉。尋常多少，月明風細，今夜偏佳。
休籠綵筆閒書字，街鼓已三撾。煙絲欲裊，露光微泫，春在桃花。

詞解 這首詞寫與愛妻重逢的喜悅之情：終於再次見到你那美麗的容顏了，你強忍笑意將烏黑的髮髻盤起，仿佛天上的仙女般動人。風和月明，良辰美景，這種情景往日雖也曾有過，可是今夜卻勝過往常。不再拈筆寫什麼字，夜已深，街上已敲過了三更鼓，還是喜不自持。香煙繚繞中，更見人面桃花，光綵照人。

又 詠梅

莫把瓊花比淡妝，誰似白霓裳。別樣清幽，自然標格，莫近東墻。
冰肌玉骨天分付，兼付與淒涼。可憐遙夜，冷煙和月，疏影橫窗。

詞解 這首詞吟詠梅花高潔的品格：不要將雪花當成自己淡雅的妝

飾，要知道梅花纔真的是像白色霓裳那樣美麗！別樣的幽獨清香，高潔的風度格調，不要靠近東牆去玩賞，因爲看一眼就能讓人魂牽夢縈。她那冰肌玉骨的美麗風采是上天所賦予的，同時也給了她鬭寒開放，清幽高潔的孤寂與冷落。可憐在這漫漫長夜之中，伴隨著明月清輝，暗香浮動，疏影散滿窗櫺。

朝中措

蜀絃秦柱不關情，盡日掩雲屏。已惜輕翎退粉，更嫌弱絮爲萍。
東風多事，餘寒吹散，烘暖微酲。看盡一簾紅雨，爲誰親繫花鈴。

詞解 這首詞寫暮春之景和傷春之情：春日寂寂，百無聊賴，美好動聽的琴瑟之聲也引不起激動的情感，整日都掩上雲母屏獨自幽傷。面前蝴蝶已經褪粉，柳絮也飄落水中，已是春事消歇了。盡管春日東風溫煦，吹散了餘寒，暖意融融令人陶醉，然而也摧殘花落。唉！看那花瓣隨風飄落，當初的護花鈴恐怕已經沒有用處了。

攤破浣溪沙

林下荒苔道韞家，生憐玉骨委塵沙。愁向風前無處說，數歸鴉。

半世浮萍隨逝水，一宵冷雨葬名花。魂是柳綿吹欲碎，繞天涯。

詞解　這首詞飽含傷悼之意，概爲亡妻而作：林下那僻靜之地本是謝道韞的家，如今已是荒苔遍地，可憐那美麗的身影被埋在了一片荒沙之中。這生死離愁無處訴說，衹能抬頭盡數黃昏歸來的烏鴉。半生的命運就如隨水漂流的浮萍一樣，無情的冷雨，一夜之間便把名花都摧殘了。那一縷芳魂是否化爲柳絮，終日在天涯飄蕩！

又

風絮飄殘已化萍，泥蓮剛倩藕絲縈。珍重別拈香一瓣，記前生。

人到情多情轉薄，而今真個悔多情。又到斷腸回首處，淚偷零。

詞解　從「記前生」句來看，這首詞是懷念亡妻之作：柳絮飄落水中

化爲點點浮萍，池中的蓮花被藕絲纏繞。分別之時手中握著一片芳香的花瓣，道聲珍重，記取前生。人若太過多情，情就會變得淡薄，如今終於知道這個道理，於是後悔自己太多情。又來到讓人斷腸的離別之處，無限傷情，淚水也暗自滑落。

又

欲話心情夢已闌，鏡中依約見春山。方悔從前真草草，等閑看。

環佩衹應歸月下，鈿釵何意寄人間。多少滴殘紅蠟淚，幾時乾。

詞解　這首小令抒寫對亡妻的思念：夢已盡，她那可愛的面龐和身影仿佛又映在了鏡中，依稀可見。當初伊人在時沒有認眞看過她美麗的容貌，現在眞的悔不當初。而今她早已逝去，歸於如夢一般的月下之境，她的遺物依舊留在了人間，然而物是人非，更令人悲痛難堪。睹物思人，蠟淚不乾，就如同我想念你的眼淚一般。

又

小立紅橋柳半垂，越羅裙颺縷金衣。采得石榴雙葉子，欲貽誰？ 便是有情當落日，衹應無伴送斜暉。寄語東風休著力，不禁吹。

詞解 這首詞寫的是女子傷春的情態：她在紅橋垂柳畔佇立，風兒吹動羅衣，衣袂飄飄。伸手將石榴的葉子采下兩片，可是又該把它送給何人呢？縱使心中萬種情，也衹能獨自一人空對斜陽。那東風啊，請不要吹得太過用力，風中的人兒已禁受不起了。

又

一霎燈前醉不醒，恨如春夢畏分明。淡月淡雲窗外雨，一聲聲。 人到情多情轉薄，而今真個不多情。又聽鷓鴣啼遍了，短長亭。

詞解 這首詞寫離恨：孤燈之前，一下子沉醉不醒，又怕醉中夢境與現實分割開來。窗外有舒雲淡月，細雨聲聲。人說若太多情，情誼就會變得淡薄，而現在我已經真的不再多情了。可是，窗外又傳來鷓鴣啼鳴之聲，不知那送別的短亭長亭之處是否有人駐足傾聽？

又

昨夜濃香分外宜，天將妍暖護雙棲，樺燭影微紅玉軟，燕釵垂。 幾爲愁多翻自笑，那逢歡極卻含啼。央及蓮花清漏滴，莫相催。

詞解 這首詞追憶與戀人歡度良宵的情景：那天夜裏，天氣晴好，濃香繚繞，分外宜人，你我雙棲雙宿。燭光下，你花顔雲鬢，不勝美麗。剛笑自己多愁善感，相逢時又喜極而泣。蓮花漏聲聲清脆，良宵苦短，請你莫要催促我離去！

青衫濕 悼亡

近來無限傷心事，誰與話長更？從教分付，綠窗紅淚，早雁初鶯。 當時領略，而今斷送，總負多情。忽疑君到，漆燈風颭，癡數春星。

滿腔心事憑誰訴

【詞解】這首詞抒發對亡妻深切懷念的痴情：近來我有很多的心事，你不在了，我要向誰訴說？一切都聽憑安排，綠窗之下的離別之淚，春天裏的鶯歌燕語。這一切都曾經領略過，如今卻一去不返，空負這一片痴情。恍惚之間仿佛感受到你來到我的身邊，在風中的燭光下默默地數著春夜裏的繁星。

青衫濕遍　悼亡

按此調譜律不載，疑亦自度曲

青衫濕遍，憑伊慰我，忍便相忘。半月前頭扶病，翦刀聲、猶共銀釭。憶生來、小膽怯空房。到而今、獨伴梨花影，冷冥冥、盡意淒涼。願指魂兮識路，教尋夢也回廊。　咫尺玉鈎斜路，一般消受，蔓草殘陽。判把長眠滴醒，和清淚、攪入椒漿。怕幽泉、還我爲神傷。道書生薄命宜將息，再休耽、怨粉愁香。料得重圓密誓，難禁寸裂柔腸。

【詞解】這首詞爲悼念亡妻之作，作於盧氏亡故半月之後：眼淚已經濕透了所有的衣服，我需要你的安慰，你怎麼可以忍心將我忘記呢！你走半月以來我拖著愁病之軀，像你在時那樣西窗翦燭。我生來膽小，害怕一個人獨守空房，到如今卻衹有梨樹花影相伴，冷冷清清，受盡淒涼。希望你的魂魄能認識回家的路，到夢中與我相聚。你已長眠地下，即使墳塚近在咫尺，芳魂卻無處找尋，衹有斜陽中荒草遍野的荒涼。夜裏在哭泣中醒來，就讓我用這和著眼淚的濁酒來祭奠已逝的你吧。卻又害怕你在黃泉之下還要因此而爲我傷心難過，勸慰我要好好保重，不要再沉迷於往日的濃情蜜意。那些海誓山盟的舊夢難圓，回想起來衹能讓人肝腸寸斷。

落花時

按此調譜律不載，疑亦自度曲。一本作好花時

夕陽誰喚下樓梯，一握香荑。回頭忍笑階前立，總無語也依依。箋書直恁無憑據，休說相思。勸伊好向紅窗醉，須莫及、落花時。

詞解　這首詞刻畫戀人相會時的場景：夕陽中，誰把她從樓上喚出，手握一把香草。下得樓來，她卻忍著笑意立在階前，一語不發，盡管如此卻依然美麗。信中相約卻未如期而至，如今就不要再說什麼相思了。勸你沉醉小窗，還沒有到落花相見之時呢！

錦堂春　秋海棠

簾外澹煙一縷，墻陰幾簇低花。夜來微雨西風裏，無力任欹斜。仿佛個人睡起，暈紅不著鉛華。天寒翠袖添淒楚，愁近欲棲鴉。

詞解　這首詞是吟詠秋海棠之作：珠簾外一縷淡淡的輕煙，牆陰處幾簇矮矮的鮮花。昨夜秋風吹來一場細雨，花枝無力任憑風雨將她吹斜。那嬌美的神態仿佛美人睡起之後臉上泛起的紅色，不施粉黛卻嬌艷欲滴。寒風中那綠色的衣袖更爲她平添了幾許淒楚，在黃昏之中徒增無限清愁！

海棠春

落紅片片渾如霧，不教更覓桃源路。香徑晚風寒，月扗花飛

處。　薔薇影暗空凝佇，任碧颭輕衫縈住。驚起早棲鴉，飛過秋千去。

詞解　這首詞勾畫月夜下孤清寂寞的情景：春風吹過，落花紛紛，如煙似霧，叫人禁不住要去尋覓那世外桃源。花間小徑，晚風伴著輕寒，將花瓣吹到月光底下。牆壁上薔薇的倩影裏，有人默默地佇立凝望著眼前的一切，任憑風吹衣袂，花瓣縈繞。清風驚起早醒的晨鴉，使得它們扇動著翅膀飛過秋千去了。

河瀆神

風緊雁行高，無邊落木蕭蕭。楚天魂夢與香銷，青山暮暮朝朝。　斷續涼雲來一縷，飄墮幾絲靈雨。今夜冷紅浦漵，鴛鴦棲向何處？

詞解　這首詞表達相思之情：西風捲地，落葉無邊。你我之情如同楚天雲雨般，朝朝暮暮。涼雲飄過，靈雨幾絲，秋已深，夜已深，水邊紅草萋萋，寒意襲人，不知那鴛鴦又棲息何處，那愛人又身在何處？

又

涼月轉雕闌，蕭蕭木葉聲乾。銀燈飄箔瑣窗間，枕屏幾疊秋山。　朔風吹透青縑被，藥爐火暖初沸。清漏沉沉無寐，爲伊判得憔悴。

詞解　這首詞書寫相思之苦：秋月轉過了彫欄，窗外傳來的是蕭蕭的清脆的落葉之聲。燈光在窗邊搖曳，枕前的屏風如山巒起伏。北風吹透了錦被，寒意頓生，藥在爐上沸騰。漏聲清晰地回響耳畔，對你的思念即使讓我憔悴，也無怨無悔。

太常引　自題小照

西風乍起峭寒生，驚雁避移營。千里暮雲平，休回首、長亭短亭。　無窮山色，無邊往事，一例冷清清。試倩玉簫聲，喚千古英雄夢醒。

詞解　這是一首題寫在畫像上的小令：上闋寫塞上之景，秋風吹起，寒意頓生，驚雁移營。驀然回首，千里暮雲之下長亭接著短亭。下闋婉轉抒情，無窮的山色，無盡的往事都沉浸在這冷冷清清的秋意之中。誰來吹起簫聲喚醒英雄舊夢！

又

晚來風起撼花鈴，人在碧山亭。愁裏不堪聽，那更雜泉聲雨聲。　無憑蹤跡，無聊心緒，誰說與多情。夢也不分明，又何必催教夢醒。

詞解　這首詞抒發詞人的無聊心緒：夜來風起搖動了護花鈴，鈴聲傳入佇立在碧山亭裏的人耳中。這聲音憂愁的人如何能聽得，更何況還夾雜了泉聲雨聲。知我者已經蹤跡全無，難以尋覓，還有誰能聽我述說衷情。不甚分明的夢境或可寬解，但惱人的聲響又催人夢醒。

詞評　「夢也不分明。又何必催教夢醒。」亦頗淒警。

——陳廷焯《白雨齋詞話》

四犯令

麥浪翻晴風颭柳，已過傷春候。因甚爲他成僝僽，畢竟是春拖逗。　紅藥闌邊攜素手，暖語濃於酒。盼到園花鋪似繡，卻更比春前瘦。

詞解　夏至春歸，傷春的時節已經過了，而他還在因爲什麼煩惱？原來是傷春意緒仍在，春愁挑逗。記得當年在芍藥花下牽你的手，那耳畔暖語更勝美酒。好不容易盼到了繁花似錦的時候，可如今孤獨的人卻更加憔悴、消瘦。

添字采桑子

按此調詞律不載，詞譜有促拍采桑子，字同句異。一本作采花

閑愁似與斜陽約，紅點蒼苔，蛺蝶飛回。又是梧桐新綠影，上階來。　天涯望處音塵斷，花謝花開，懊惱離懷。空壓鈿筐金縷繡，合歡鞋。

詞解　這首詞寫離愁：愁情仿佛是與夕陽有約，正當愁緒滿懷之時，偏又逢夕陽西下，看那蛺蝶飛來落在了蒼苔之上，點點紅色，梧桐樹的綠蔭再次映上了臺階。花開花謝，望斷天涯卻音信全無，怎不讓人懊惱滿懷？

開啓螺鈿筐，祇剩下一雙金縷繡織的鞋子，而鞋子的主人卻不在身邊了。

荷葉盃

簾捲落花如雪，煙月。誰在小紅亭？玉釵敲竹乍聞聲，風影略分明。

化作彩雲飛去，何處？不隔枕函邊，一聲將息曉寒天，腸斷又今年。

詞解 上闋寫幻象，在落花如雪的月夜裏，朦朧中是誰佇立在小紅亭裏，俄而傳來幾聲玉釵敲竹般的聲響，看去她身影歷歷，佇立風中。那身影驀然化作綵雲飛逝，要飛往何處？一切如夢如幻。然而與她在枕邊的情義總是無法隔斷，難以忘情的，道一聲珍重，又將天明，斷腸人又要在愁苦中度過一年。

又

知己一人誰是？已矣。贏得誤他生。多情終古似無情，別語悔分明。

莫道芳時易度，朝暮。珍重好花天。爲伊指點再來緣，疏雨洗遺鈿。

詞解 這首詞爲懷念亡妻而作：誰是那唯一的知己？可惜已經離我而去，祇有來世再續前緣。多情自古以來都好似無情，這種境況無論醉醒都是如此。朝朝暮暮，如煙似霧，那大好的春色不要白白錯過。雨中拿著你的遺物睹物思人，但願能來世相見。

尋芳草 蕭寺紀夢

客夜怎生過？夢相伴綺窗吟和。薄嗔佯笑道，若不是恁淒涼，肯來麽？

來去苦忽忽，準擬待曉鐘敲破。乍偎人一閃燈花墮，卻對著琉璃火。

詞解 這首詞爲記夢之作，表達對戀人的怨離之情：這客宿山寺之夜要如何度過？夢裏與伊人相會，詩詞唱和，故作嗔怪地說：「如果不是太過淒涼冷清，你肯過來陪我嗎？」可惜好夢不長，來去匆匆，曉鐘敲破晨靄，忽而夢斷，燈花墜落，自己卻空對著琉璃燈，令人不勝悵惘。